松下竜一の児童文学

中野隆之
Nakano Takayuki

のぶ工房

1998年10月23日「松下竜一その仕事展会場」にて
：著者と松下竜一氏

はじめに

大分中津の作家松下竜一（一九三七〜二〇〇四年）は、まず第一に稀代のノンフィクション作家であった。その多彩な骨太の作品は高い評価を得ている。『風成の女たち―ある漁村の闘い』（朝日新聞社　一九七二年）をはじめとして、自らの火力発電所建設反対運動を描いた『明神の小さな海岸にて』（朝日新聞社　一九七五年）、ダム反対の闘士室原知幸の破天荒な国家との闘いを克明に辿る『砦に拠る』（筑摩書房　一九七七年）、大杉栄と伊藤野枝の遺児ルイズを描いた、第四回講談社ノンフィクション賞を受賞した『ルイズ―父に貰いし名は』（講談社　一九八二年）、さらに『記憶の闇―甲山事件〔一九七四―一九八四〕』（河出書房新社　一九八五年）、『狼煙を見よ―東アジア反日武装戦線〝狼〟部隊』（河出書房新社　一九八七年）など、いずれも国家の強い力に翻弄され、蹂躙されていく個人の姿を活写し、反骨の魂がいきいきと躍動する作品群である。

これらの作品について、ある人は「記録文学」と定義するが、しかし、松下は自分は決して「記録文学」者ではないという。松下は正真正銘、剛胆な記録文学者上野英信の弟子を自称した。上野は福岡鞍手の炭住に筑豊文庫を構え、筑豊の炭田に働く労働者の過酷な生活を克明に「記録」

し続けた作家である。松下は次のように書いている。

ノンフィクションと呼ばれていま流行の作品に、なにかしら即製的なうさんくささを嗅いでしまうのも、私が上野英信氏のズシリと重い作品群から逃れられないからであろう。私は氏の一貫した作品群を「記録文学」という正統的な呼称で位置づけたいし、自らもその系譜の末端に連なりたい希いで、はやらぬ作品を書いているつもりである。氏の作品の紙背に炯る眼を、ペンを持つ人間として私は常に意識せざるをえない。

（径書房版『上野英信集』の松下の推薦文。引用は『草の根通信』第148号　一九八五年三月五日発行より。）

また松下は「記録文学」とノンフィクション文学を次のように区別している。

その違いを定義せよといわれれば口ごもってしまうが、作品（テーマ）にかけられた歳月の重みがひとつの目安にはなるだろう。一人の記録者が長い歳月をかけて縷々（るる）と刻みあげていった作品が記録文学であり、必然的に記録者自身もそのテーマに呪縛されたように生を変えられていくといった凄絶さを伴うことにもなる。（こういう危険な重みを持たないものをノンフィクションと呼びたい）

（「『土呂久羅漢』を読む」。引用は『草の根通信』第265号　一九九四年十二月五日発行より。）

松下は「自らもその系譜の末端に連なりたい」と述べるが実際には（その孤高な精神性を除き）そうはならなかった。松下は上野から「君は本を出しすぎる」※と叱られたことがあると白状する。「もっと長い時間をかけて取り組むような重いテーマを扱え」※という忠告と松下は受け取り「どうして君は記録文学だけに徹しないのか」※という浮気な自分への不満と考えた。

　ではそのような記録文学になぜ松下は徹することができなかったのか、なぜ徹しなかったのか。その答えは簡単である。生活のために本を次々と出さねばならなかったからだ。妻と子どもたちのために働かねばならなかったからだ。またもうひとつ、松下は次のように言う。「短編小説でも児童小説でも随筆でも一応は書きこなしてしまう私の小器用さ」※のためであると。上野英信の精神を最も厳格に引き継いでいるとされる川原一之も「松下さんは不器用そうに見えて、実はものすごく器用な作家だった。文学に私小説にルポルタージュにエッセー、彼の多彩な文学活動がその器用さを物語っている。」と書いている。（「新聞記者を辞めた充実の歳月〈私の10年〉」。引用は『草の根通信』第121号　一九八二年十二月五日発行より。）

　松下は言う。

「私には記録文学に徹するという限定された覚悟は、はっきりいってない。私には師に殉ずる弟子という資格はないのだ。」※

「『君は本を出しすぎる』という上野さんの苦言にも、まったく私は従おうとしなかった。従えるはずもないではないか。地方のものかきが中央の雑誌に登場する機会は殆どない。収入といえば単発的な本の印税にたよるしかないのだが、その一冊の収入がせいぜい五、六十万円とあっては、自転車操業とならざるをえないのである。」※

（この項、「※」の引用は「原石貴重の剛直な意志――上野英信とわたし――」による。『草の根通信』第253号　一九九三年十二月五日発行より。もと『追悼・上野英信』〔追悼録刊行会　一九八九年〕に松下が書いたもの。）

自分は上野の筑豊文庫に連なる者でもなく、筑豊に深く触れることもなく筑豊抜きで筑豊文庫に出入りした者で、何も語る資格はないと言うが、ここに次のような文章がある。松下が北九州の雑誌『九州人』に、後に一冊となる『檜の山のうたびと』（筑摩書房　一九七四年）を連載し、その最終回の号の編集後記で編集者が書いたもの。

松下氏は目下あらたに「地底のうたびと」を本誌に発表するため中津から筑豊地方に出かけコツコツと取材調査に取りかかっている。出来れば五月号から連載したいと考えている。

（『九州人』第62号　一九七三年三月）

松下はこれからの自分の文学活動についてとことん悩み、逡巡し、どれが最善なのか模索を続けたのではなかったか。筑豊に連なる、ひいては師上野英信に連なる剛毅な「記録文学」者たる道も意識の中に確実にあったのだと思われる。その努力をしようとしたのではなかったか。

また、上野への尽きせぬ尊敬を抱きながらも必死の思いで自己の道を進んで来たのではなかったか。この「地底のうたびと」の作品は生まれることはなかった。しかし、この上なく師の思いにも応えたいという気持ちはずっと持ち続けていたに違いないのだ。

こうやって松下は剛毅な「記録文学」ではない、と自分では言うノンフィクションの優れた作品を書き続けていったのだ。

さて松下はノンフィクション以外に多くの作品を書いている。ノンフィクションと後に述べる児童文学以外の作品を、とりあえず「エッセイなど」と呼んでおき、これらを松下文学の二つ目と考える。ここには多彩な作品群を包括することになる。

まず最も早いものが『豆腐屋の四季　ある青春の記録』(講談社　一九六九年)であり、これは豆腐屋松下の生活記であった。後に同様な家庭スケッチ、身辺記を豆腐屋を続けながら、そして廃業して作家宣言してからも書いていく。「四季三部作」といわれる『吾子の四季　父のうた夫のうた』(講談社　一九七〇年)、『歓びの四季　愛ある日々』(講談社　一九七一年)や『人魚通信』(自費出版　一九七一年)、『絵本切る日々』(自費出版　一九七二年)などである。

松下は火力発電所建設反対運動に邁進していくがその機関誌『草の根通信』に連載したものが「松下センセ」を主人公とする「ずいひつ」であった。これらの「ずいひつ」から選んだものが『いのちきしてます』(三一書房　一九八一年)、『小さな手の哀しみ』(径書房　一九八四年)、『底ぬけビンボー暮らし』(筑摩書房　一九九六年)などの一群の作品である。貧乏暮らしの一地方作家の悲哀と、それでも生きている幸せがひょうひょうとした筆致で描かれている。とにかくめっぽう楽しく読めて、松下のファンはこれら「ずいひつ」を愛する人たちが多い。

そしてもう一つ、『ウドンゲの花――わが日記抄』（講談社　一九八三年）がある。松下自ら、自分の文学生活の中での唯一の「随筆集」であると書く。そして自分はこのような文章を書くのが好きであり、得意でもあると言う。「松下センセ」のおもしろおかしく、つい笑いをそそるような「ずいひつ」、ひらがな「」付きではない、文字通り辞書的な意味での、そして長い歴史の中で連綿と書き継がれてきた古典的な随筆に連なるものとして、自然、人事に対する濃やかなまなざし、小さなもの、ささやかなものに対する愛情があふれている。松下のもう一つの到達点と言ってもよい。

さらに身辺記、「ずいひつ」、随筆以外に『母よ、生きるべし』（講談社　一九九〇年）、『ありふれた老い　ある老人介護の家族風景』（作品社　一九九四年）などの、家族の生と死を余すところ無くやさしく、しかし作家の冷徹な目を通して書き上げた作品なども「エッセイなど」の第二のグループに入れておきたい。

そして、松下文学の三つ目に屹立するのが児童文学の世界である。この私の小著は、松下の児童文学の成果とその限界も含めて松下が自ら「童話」「児童小説」「児童向けノンフィクション」と銘打った全ての作品について解説を施したものである。ノンフィクションと「エッセイなど」の陰で、今まで一部の評者を除いて顧みられることの少なかった松下の児童文学の世界をできるだけ詳しく明らかにしておきたいという気持ちでこの小著を書いた。ほとんど触れられることのなかった松下周辺の児童文学作家や地元の雑誌のことも取り上げた。まだまだ不十分な点も多いが、松下に関心のある方々に松下児童文学の世界に触れていただける機会となれば幸甚である。

松下竜一の児童文学——目次

○凡例

1、松下竜一作品の引用について
・単行本からの引用は、全てその初版第一刷によった。
・新聞、雑誌などからの引用は、本文中にその出典を明記した。
・その際、原則的に本文のルビ、傍点（……）などは省略した。
・作品については、初めて引用するときは副題、出版社、出版年も明記するが、その後の引用では省略した。

2、『松下竜一その仕事』全30巻　河出書房新社　については次のように省略した。
『松下竜一その仕事28　あしたの海』→『その仕事28』

3、『松下竜一未刊行著作集』全5巻　海鳥社　については次のように省略した。
『松下竜一未刊行著作集1　かもめ来るころ』→『未刊行著作集1』

4、『松下竜一その仕事』全巻に書いた、山口泉の解説、松下竜一のエッセイについては次のように省略した。
『松下竜一その仕事28　あしたの海』解説「正しく偏る」ということ→(『その仕事28』解説)
『松下竜一その仕事28　あしたの海』書き下ろしエッセイ　諭吉の里で〈28〉豊前海海戦裁判→(『その仕事28』エッセイ)

※尚このエッセイ30編は『巻末の記』と題して二〇〇二年に河出書房新社より刊行されている。

松下竜一の児童文学

第一章　松下竜一の児童文学　解題

1　童話

❶「小さな童話」

松下竜一の作品を

1　ノンフィクション　2　エッセイ（など）　3　児童文学

と三分類することはよく行われている。そのうち、3児童文学をさらに

1　童話　2　児童小説　3　児童向けノンフィクション

と三分類したい。ここでは1童話について述べていく。

松下は「小さな童話」と松下自身が銘打ったものと、新聞連載の「土曜童話」、この二種類だけの「童話」を書いた。

「小さな童話」は『歓びの四季』『人魚通信』『絵本切る日々』に所収の作品のうち「小さな童

話」と冠しているもの。（雑誌『九州人』にも「小さな童話」と銘打って発表している。）『歓びの四季』に10編、『人魚通信』に6編、『絵本切る日々』に5編、合計21編を数える。

ただ松下の第一作『豆腐屋の四季』から『吾子の四季』『歓びの四季』、その後の自費出版『人魚通信』『絵本切る日々』の二冊、これらの作品の中にも「創作童話」と見られるもの、童話らしき作品を実はいくつも見ることができる。さらに極言すれば、これらの文章はいずれも「童話」そのものと考えてもいいのではないか、とも思われるのである。むしろ松下はそのような意図でこれらの作品を紡いでいったのではなかったか。『人魚通信』の「はじめに」で松下が述べているように松下自身もこれらの作品をどう名付けてよいか判断しかねている。「小説、童話、手記、随筆そのどれとも少し違うようです」と。すなわち言い換えるならこれら五冊の著作全てを「小さな童話」としてもよいのだ、という気持ちなのである。

豆腐屋廃業の後、作家として一家を支える立場にたった松下は、生活記以外の「書き物」として、ありのままの生活スケッチに若干の空想やメルヘン的な色調を入れて新しい作品を造っていこうとする試みをした。それがこれら「小さな童話」のひとむれである。まだどのような作品を書けるのか、あるいは書けないのかが霧中の中でとにもかくにも自分の目の届く範囲の些事に美しく貴い虚構を加えていった。その成果としての「小さな童話」であった。

松下が自分の書くものを「童話」あるいは「メルヘン」または「生活メルヘン」などと呼んだのはそこに本来の伝承的意味を深くは持っていない一般的な子どもたちのための文学という意味で、最も普通の呼称としてこの言葉にしたのだろう。ただ私たちが使うメルヘンという言葉には「魔法」「王様」「妖精」などのヨーロッパ風なおしゃれなイメージがつきまとっているのも確かである。

さて、松下の「小さな童話」は以下の通りである。（①〜㉑は便宜上中野が附したもの）

●『歓びの四季』（表紙カバーの折り返し部分に「独特の美しい掌編童話」が収められていると印刷されている。）

①死者へのポスト――小さな童話　21〜24ページ

どの街にもきっとひとつ〈死者へのポスト〉がある。一年間に数分だけそのポストは死者に通じるという。死者のもとに手紙が届くのだ。

②母の豆腐――小さな童話　24〜28ページ

死んだはずの母が夜中に七十丁の豆腐を作ってくれていた。仏壇の母の遺影の髪には白い豆乳の飛沫がついていた。

（注）死者が仕事を手伝ってくれるという怪談めいた話は実は地蔵菩薩霊験譚などの伝説にその源があると思われる。「田植え地蔵」「鼻取り地蔵」「水引地蔵」などと呼ばれる地蔵譚で、信心深い民が困窮していると地蔵が小僧や若者に変身して田植えや牛鼻引きなどをやってくれる。後に腰や足に泥が付いているのを見つけそれとわかるという話である。おそらく松下もそのような民話の類もかつて読み親しんだ経験があったのだろうと思われる。

③好意の雲――小さな童話　35～38ページ
ノルウェーの本に〈好意の雲〉の話が載っていてその雲は下界のみんなにいろいろといいことをしてくれるという。作者の庭の油抜きをするカンを白い雪で埋めてくれて作者の仕事の手伝いをしてくれた。「なんという、美しいふしぎだろう！」

④初蝶――小さな童話　77～84ページ　『九州人』第29号　一九七〇年六月に発表
幼子健一の口の中から蝶が次から次へと舞い出てくる不思議な話。

□ふくろうの笛　120～123ページ
（注）この章には「ふくろうの笛」とあるだけで「小さな童話」という記述はない。その中に幼子健一にお話をするという形式で「森の狸吉」の話（童話）が挿入されている。狸吉が男の児に化けてお爺さんからおからをもらう話。もちろん新美南吉の「手袋を買ひに」を念頭に

作り上げたもの。

⑤海からのあいさつ――小さな童話　147～150ページ
作者の書いた原稿が風に飛ばされ「北門の海」に飛び散ったが、拾い上げてみるとそこに「北門の海」のあいさつが書かれていた。「北門の海」は自分のことを歌い上げてくれる本物の詩人を待っていた。

⑥寂しい花――小さな童話　155～160ページ
オオマツヨイグサの化身である一人の少女が摘まれていった父母・兄弟のオオマツヨイグサを返してもらうために深夜作者の家にやって来る。一夜だけ家族にとっての大切な会話を交わすために。

⑦鶴子――小さな童話　239～242ページ
新たに生まれてくる子への祈りを込めて折った千羽鶴が突然色を失ってしまった。しかしその無色の千羽鶴がひとつ、またひとつと美しく鮮やかな色彩を取り戻していった。

⑧耳つまむ健一――小さな童話　284～293ページ　『九州人』第35号　一九七〇年十二月に発表
幼子健一が作者の耳をつまんで眠るようになった。その〈耳つまみ〉を遊びとして家族で楽

しむうちにみんなの耳たぶがだんだんと光り始めてきた。

⑨白鳩―小さな童話　293～299ページ
白い鳩はこれからきっといいことが起こる前触れになる。幸せを告げる白鳩。
(注) この章は「白鳩」という題の下にすぐ「小さな童話」と続いていない。「白鳩」のあと9行にわたって、白鳩を見て刑務所から釈放されたひとりの男の幸運な話を書いている。その行の下部に「小さな童話」と書き、前の9行を導入として幸運をもたらす白い鳩の話を書き進めている。

⑩羽根が降る――小さな童話　313～316ページ
白鷺が白い羽根を作者の庭に落としていく。その羽根には「私」が土手の上で作った歌が書かれているという。しかし作者は全くそのような記憶はない。私の幽霊が土手をさまよい歌を作っているのだろうか。

私はこれら十編ほどの作品が松下の最も早い時期に作家たろうとして書かれたひとつの創作童話の試みの成果であると考えている。『豆腐屋の四季』的な現実主義の作風からの飛翔の試みである。

●『人魚通信』

⑪ちえかび萠えよ（「萠」は「萌」の誤植である）

トタン製の作り物のきりんに幼子が「きりんきりん」と七日間呼びかけ続ければ、このきりんに命が吹き込まれる奇蹟が起こらないか。おさなごに「ちえかび」（知恵の芽）がもえあがれと作者は祈る。

⑫クルペッペ

魔術王ヨアヒムXが幼子健一に授けた「クルペッペ」という呪文。それは秘伝、不幸に勝つ呪文であった。

⑬夜・蜂鳥など

月光の重み、小さな菫の重み、いちまいのはがきよりもっとめかたのかるい、そのあえかな軽さが尊いのだという作者の想い。

⑭けんぽなし

クリスマスイヴの夜、作者はけんぽなしを売る一人のお爺さんの話を幼子健一に語る。けんぽなしはひとつも売れなかったがクリスマスの赤いとんがり帽子だけがひとつ、きん坊へのおみやげだった。

⑮紅雀を買いに

妻の誕生日に紅雀を買おうとする作者。それも叶わずその夜に幼子に語る話。雪鬼に幼子健一の命乞いをする作者。作者の涙が雪鬼の心を解きほぐす。

⑯ジョーベット

豆腐屋のラッパとシャボン玉の組み合わせ。作者の語る豆腐屋ジョーベットの哀話。

これら6編は『九州人』第38号（一九七一年三月）に「小さな童話　紅雀を買いに」という題で一〇五枚一挙に掲載されたもの。以前この雑誌に、松下は『歓びの四季』の「小さな童話」のうちの2編、前出の「初蝶」「耳つまむ健一」を載せている。またいくつかの随想も掲載しており後には「檜の山のうたびと」も連載することとなり、懇意な雑誌であったがそれにしても一〇五枚一挙連載は破格の扱いである。

「私は今夜も、ボールペンと原稿用紙を手に抱いて、子らや妻との些細な日々を洩らさず記録しようと一人覚め続けている。」（『人魚通信』）その記録の合間にふと「想うこと」を子どもらに伝える「小さな童話」として書き込んでいった。この時期、豆腐屋を廃業して何もすることのない日々、ただ子どもたちと遊びにふける日々、その生活は本当に「童話めいた生活」と作者は考えている。

●『絵本切る日々』

⑰絵本切る日々

入院して子どもに会えない寂しさに、作者は絵本の王子さまやお姫さまを切り抜いて子どもたちへと、妻にことづける。

⑱ケン隊員応答せよ

入院で子どもに会えない作者。トランシーバーで子どもたちと交信しようと考える。

⑲指輪と真珠

作者が入院している病院で若い二人の患者が婚約することになった。二人はこよりを互いの指に結び婚約指輪とした。作者は美しい小さな貝殻を「真珠」として贈るのだ。

⑳風船昇れ

入院中の作者のもとに妻子が見舞いに来る。祇園祭で買った風船をもって。作者はこの紅い風船を祈りを込めて夜空へと解き放つ。

㉑〈小さな人魚姫〉の像

作者は自分の家族は病人一家だという。笹飾りをした星祭りの日に人魚姫さまに健康をお祈りするのだ。

これら5編は『九州人』第44号（一九七一年九月）に「小さな童話　絵本を切る日々」という題で一〇〇枚掲載されたもの。松下にとっては実にありがたく、作家としての手応えも感じたのではなかったか。

（注）自費出版『絵本切る日々』では「指輪と真珠」と「風船昇れ」のそれぞれの題名が入れ替わっている。⑲の題を間違えて「風船昇れ」とし、⑳の題を「指輪と真珠」としている。目次でも同様である。

❷「土曜童話」

「小さな童話」に次いで書かれた掌篇童話「土曜童話」は『西日本新聞』朝刊に一九八五（昭和60）年十月五日から一九八七（昭和62）年十二月五日にわたって、合計25篇掲載されたものであり、「小さい童話」からおよそ十五年の歳月の後に書かれたものである。松下の三人目の子ども小学二年生の長女杏子を主人公とした「幼年童話」の体裁をとって、題材とされるものは「四季」三部作やその後のエッセイなどに書かれたものと同様で、日常の生活の中の、ほんの小さなささやかな出来事である。ただ「幼年童話」のつくりということで子どもたちにも読みやすく大人が子どもたちに読み聞かせることができるように平易な言葉遣いで書かれている。
花や草にまつわるもの（1・2・3・4・9・13話）、鳥（7話）、そして小さなもの（折り鶴・日記帳・かいがら・うめぼし）など松下が常に愛惜しているあえかなものがモチーフとなっている。全体的に明るく瑞々しい作品群である。

ただ小学生であっても喜怒哀楽の機微も当然持っており、悲しさ、痛ましさなど心の揺れも漂い、ある時は子どもながらも残酷さなども表現する。単に明るく屈託のない子どもという単純なイメージだけではなく心情の深さ、細やかさにも目が届く。

14話「ごめんねパーティー」はみやもとさんとえとうさんからいじわるをされたせっちゃんをなぐさめるために杏子がパーティーを開こうとする話である。そのなかに「みやもとさん、えとうさんのわるくちをいう」というものがあって、いじめた二人の悪口を言うことで憂さ晴らしをして解決に導こうというものだが、このようなものでない真の解決策を考えてほしかったと思うのは私だけだろうか。

これらの童話の中には絶交・仲たがい・口争い・恨む・のけもの・いじわる・にくむ、などの言葉が散見する。松下にとっての子どもたちはただ明るい天使だけではないのだ、大人と同じ人格を持った人間なのだ、というある種敬愛の対象の存在としてあるのだろう。だからこそ彼は子どもたちひとりひとりのその全てを丸ごと包みたいという限りなく強い欲求があったと思われる。

さてこの連載は「母親が子供に読んで聞かせる童話を」という新聞社からの注文で書いたも

ので、一篇千字ほどの短編。読者対象は小学三年生ぐらいのつもり、娘の杏子に合わせた、と述べている。杏子の「日常の一齣をそのまま写し取ったような生活童話」になっている。(『右眼にホロリ』径書房　一九八八年)

全25篇の題名と新聞の掲載日だけ以下に挙げておく。(『未刊行著作集1』海鳥社　二〇〇八年)で全篇読むことができる。

1 ネコジャラシ(一九八五・10・5)
2 イチョウ(一九八五・11・16)
3 草の実(一九八五・12・21)
4 フリージア(一九八六・1・18)
5 糸でんわ(一九八六・2・15)
6 春の本部(一九八六・3・15)
7 カモメの手紙(一九八六・4・19)
8 おりづる(一九八六・5・17)
9 花かざり(一九八六・6・21)
10 日記帳(一九八六・7・19)
11 お寺のかね(一九八六・8・16)
12 ナゾナゾ(一九八六・9・20)
13 はなのたんていだん(一九八六・10・18)
14 ごめんねパーティー(一九八六・11・15)
15 おいのり(一九八六・12・20)
16 かいがら(一九八七・1・24)
17 さくぶん(一九八七・2・21)
18 さそいだしさくせん(一九八七・3・21)
19 ちびっこ(一九八七・4・11)
20 うめぼし太郎(一九八七・5・23)
21 わたし、ルミ(一九八七・7・4)
22 かえりみち(一九八七・8・8)

23 ほしぞら（一九八七・9・26）　24 おならちょきん（一九八七・10・24）
25 しゃちょうさん（一九八七・12・5）

※この中の2・9話は『草の根通信』の「ずいひつ」で紹介され、後に『右眼にホロリ』にも収められた。また3・5・7・10・14・18・21の七話が『その仕事27』（エッセイ）の中にも収められている。さらに6話「春の本部」が『小さなさかな屋奮戦記』（筑摩書房 一九八九年）の中に主人公杏子の名前を祥子に変え、一部、漢字をひらがなに変えた形でそのまま引用されている。

2　児童小説・児童向けノンフィクション

❶『5000匹のホタル』理論社 一九七三年十二月第一刷

絵・今井弓子　220ページ　八八〇円

・人生のはじめにめぐりあう本　ジュニアライブラリーの一冊

○著作自解[注①]

初めて中学生向けに書いた長編小説。大分市にあるろう児の施設と竹田市の《ホタルのおじさん》との交流実話にもとづいて、耳の聴こえない子供たちの実態を描いている。

○松下竜一著作目録（刊行順）[注②]理論社・一九七二年刊／一五〇〇円

難聴の子らを主人公にした児童小説（中学生以上対象）現在20刷を重ねているロングセラー

『5000匹のホタル』は松下の最初の児童小説である。松下の友人である山口県徳山市（現周南市）の童話作家金重剛二のつてで理論社に紹介されたという。金重は『ドリーム77』という童話を理論社から出していた。理論社に託された原稿は松下の付けた題名「あかつきの子ら」から理論社社長小宮山量平によって「5000匹のホタル」と変更させられ、このタイトルで出版されることとなった。松下の多くの作品（ノンフィクションも「ずいひつ」なども含めて）が絶版になり、なかなか読者の手に届かない状況になっている中、この作品は長く命脈を保ち、今でも新装版（名作の森版）として市場に残っている。松下児童文学の代表作といってもいいだろう。

○出版年について

『5000匹のホタル』は一九七四年二月に刊行された、となっている。講談社文芸文庫の松下の著書目録（新木安利・梶原得三郎作成）によっても昭和49年2月となっているし、松下の全集、河出書房新社の『松下竜一その仕事25　5000匹のホタル』の書誌も一九七四年二月刊と記す。そしてこの『その仕事25』に所収の「書き下ろしエッセイ諭吉の里で〈25〉児童小説家誕生せず」の中で、松下本人がその出版の経緯を詳しく書いていて、「刊行されたのは、七四年二月十五日である。」と書く。本人の意識の中でもこれを正確なものと見なしているのだろう。そのエッセイの中で松下は次のように言う。（中野の要約）

・一九七〇年六月に新聞でこの友情のホタルの記事をよみ、作品を書こうと決心する。
・一九七一年五月・六月に大分県竹田市、大分市を訪ね取材する。
・一九七一年六月十三日に作品を書き始める。
ゆきづまって中断、書きかけの原稿を引き出しにしまう。
・一九七二年正月にノンフィクション作品『風成の女たち』を書き上げ、その勢いで中断していた書きかけの原稿に手を入れ始める。
・一九七二年二月に脱稿。

こうやって完成した作品を前述のように金重を介して理論社に手渡す。そして「そのあと二年間にもわたって眠らされることになる。」

しかし私がずっと出版の年にこだわっていたのは、事実として私の手元にある『５０００匹のホタル』の「第１刷」は一九七三年十二月となっているからだ。この奥付には一九七三年初版と、これもまたはっきり書かれている。そしてこの「ジュニアライブラリー」版の私の手元にある最も新しい版、一九九八年七月の37刷まで奥付の初版は一九七三年を踏襲している。ただし不思議なことに一九七四年四月の第2刷だけは一九七四年となっている。その後二〇〇六年二月にこの本は「名作の森」版に変わって（大きさが少し小さくなる）「初版第1刷」が刊行された。さらに不思議なことにこの奥付では「初版一九七四年」となっている。

実は松下自身も他の随筆などの記述では刊行年は不統一で、一九七二年、一九七三年刊行が散見する。そして『その仕事25』（解説）にも山口泉は、この作品は「一九七三年に初めて出た本だということです。」と書く。この全集の書誌では一九七四年となっているのに山口がこう書いているのは、おそらく山口が参考にした『５０００匹のホタル』の奥付が一九七三年初版となっていたからに違いない。

一九七三年十二月の1刷、一九七四年四月の2刷、一九七四年五月の3刷を確認できている。とにかく一九七三年十二月1刷の「現物」がある以上、出版年はそう考えるべきではないか。

〇児童文学作家としての旅立ち

『５０００匹のホタル』は松下が一九七〇年七月に稼業の豆腐屋をやめ、筆一本で立とうとした際の、生きていくため、食うための方便とすべく、どのような作品を書いていけばいいのか、売れるのかの一つの試みとした作品であった。松下は「漠然と」「これからは児童向けの小説を書けないだろうか」「児童文学への確たる志向があったわけではなく、大人に向けての小説などとても書けそうにはなくて、だから児童向けなら――といった程度の安易な発想であった。」と率直に回想している。（『その仕事25』エッセイ）

小さな子ども二人を抱え、ペン一本に賭けた。しかし「私には、そのあと書くべき作品の構想はなかった。結局またしても、おのが小さな生活を綴るしかない。」（『図録松下竜一その仕事』その仕事展実行委員会　一九九八年）そして生活記＋フィクションの短編小説集『人魚通信』『絵本切る日々』を書き、発行してくれる出版社もないまま自費出版する。八方ふさがりだったのだろう。松下は長編の児童小説に賭けようと決心する。

そんな想いの中、たまたま目に入った新聞記事から『５０００匹のホタル』の構想を得たわけだが、最初構想していたファンタジー風ではなく、いざ完成したこの作品には一九七〇年代という時代が担っていた重圧、空気が十分に染み込んでいるものとなった。無意識であれ何であれ、この時代の子どもたち、特に「障害」を持つ子どもたちの現状について、そのまま「素直」に、その時代に生きるほとんど多数の人々が抱いている思いが述べられ、綴られている作品となっている。長谷川潮はこの作品について「一九七〇年代初頭の、物語による聴覚障害児問題白書といったふうのもの」、また「結果的にこの時期の障害問題を広く知ることのできる作品になっている。」と述べる。（『児童文学のなかの障害者』ぶどう社　二〇〇五年）

○玉子の成長譚

『５０００匹のホタル』は、松下が「大分市のろう児施設あけぼの学園と竹田市の明治小学校との〝友情の蛍〟の交流を新聞記事で知」り、「これを題材にして児童小説を書けはしないかという下心」（『その仕事25』エッセイ）で書き始めたものである。ろう児施設（小説の中ではあかつき学園）に着任した新任保母梶木玉子の、ほぼ一年にわたる悪戦苦闘の日々を綴っている。玉子は実に真面目にこの仕事に取り組んだ。

・自信を持って応答できなかった玉子は、あの二人の父母にたよりなく思われたのではないか、と、あとですこししょんぼりとなった。

・私は頭の悪い生徒らしいわ、と、玉子はしょんぼりしてしまった。

・玉子も泣いていた。涙がとめどなく流れてやまなかった。

・私は泣虫先生らしいぞ

・今の私の力では及ばない無力感をおぼえてしまうのです。

もともと高卒後事務員となった玉子は「何か本当に世の役に立ちたいという漠然としたのぞみ」を持ち、転職した。私はこのことだけでも尊いものを感じる。慣れぬ環境の中で玉子は「不安」「孤独」「無力感」「悔い」を感じながらも「子供たちのこの天衣無縫な明るさが珠玉のように無垢で、貴く思われてなら」ず、一生懸命子どもたちの中で子どもたちのために生きていこうと思う。

玉子は百合子という少女から手紙を貰う。「玉子は、はじめてもらったこの手紙を大切にしようと、手帳にはさみこんだ。」このようないたわりと優しさの心を持った玉子である。私はこの箇所が好ましくてならない。

玉子は子どもたちとの交流を通した濃密な時間を送るが、順風満帆な一年間を過ごしただけなら、物語として単調に過ぎよう。子どもたちの中にひとり、ふたりと「問題」を抱えた子どもがいて、その子どもたちとの衝突の場面が登場し、物語は波乱に富んだ展開となり読者を一気にこの作品の中に入り込ませ最後まで読ませる。作品を生かすも殺すもその「問題」のある子どもの造型にかかっていると言ってもよい。

実（まこと）という子どもの死。そして何よりも、なかなか園になじめない幸枝（ゆきえ）という少女を配置することによって、生き生きと物語が動いていき『５０００匹のホタル』は「読める」作品となった。そして児童向け小説として、最後を大団円で迎えさせこれからの幸枝の幸福を予感させる完結を採った。幸枝の描いた絵がアメリカに渡るという筋立ても広く羽ばたく子どもたちの心に強く訴えよう。まさに児童文学の型をきっちり踏まえた作品として仕上げる基本的な姿勢を松下は持っていた。

四季の移り変わりの中に、この小説の題ともなっている「ホタル送り」「ホタル迎え」の行事はもちろんのこと、いくつもの学園の行事が織り込まれ、子どもたちとの関わりが語られる。そして、その細部細部には抒情歌人から出発した松下らしい美しい文章も織り込まれる。

夕空には鰯雲が、さあっとひろがっていた。幸枝が紅と白のオシロイバナを摘んで、「これを実君にあげよう」といったので、玉子はうなずいた。実の花瓶には、毎日花が絶えず飾られている。一夫がまだ青い実のじゅず玉を欲しがるので、それを摘んでポケットに入れてやった。

（第四章　学園の秋）

私は最後の一文に強く惹かれる。この一文はあってもなくてもよい文だ。何人かの子どもたちと薄を切りに行った場面だが、亡くなった実へのやさしさがにじみ出ている。一夫が欲しかったのは「青い実」であった。この実が「実（まこと）」を指していることは言うまでもない。その最後に、「今、ここに生きている」幼い一夫に対する玉子なりのいたわりの気持ちがよく表れている。夕方の静謐な落ち着いた抒情を感じる。松下は天性の歌詠みなのだと思う。

〇社会への通路

豆腐屋という狭い世界から抜け出し、松下は作家として大きな世界に踏み出そうとしていた。松下はその時代に強く影響され「今」を描くことを自作の使命としたのだと思う。松下は決して小さな世界に固執した思索家ではないと思い続けていた。身の回りだけの安心、安寧を願っていくことを強く拒絶しようと努力した。後に松下が九州電力豊前火力発電所建設反対という所謂「過激」な行動に出て行く姿を見て、多くの人々は彼を見限った。

わずか二年前、テレビドラマでもてはやされた私が、発電所の建設に反対する主謀者として登場したとき、中津の町ですっかり〝キラワレモノ〟に変わっていた。『豆腐屋の四季』の読者からも「あなたはすっかり変わってしまった。やさしいあなたに戻りなさい」という手紙を貰うのだった。

（『図録松下竜一その仕事』）

そうではあるまい。松下は何も変わってはいない。多くの読者を獲得した『豆腐屋の四季』の中に、どれほど、広く外に目を向けようとしている姿が覗えるか。ソ連の兵器衛星の恐怖、米軍空母エンタープライズ佐世保入港の危惧、マスプロ豆腐への怒り。やさしい短歌青年という枠に収まらぬ一人の市井人としての胸の中に一九七〇年代の日本の政治、経済、科学、教育が恐怖の姿として渦巻いているのだ。このことを『豆腐屋の四季』の読者は気づかなかったのか。松下は自然を守るべく、短歌に詠んだ世界を守るべく、抒情を守るべく戦いに挑んでいった。

この『５０００匹のホタル』の中にも当然その熱い想いが込められているはずなのだ。玉子は「水爆を作るより、ロケットを宇宙に打ち上げるより、世界がその富と科学を人間を救う愛情の医学へと集中させてくれさえしたら」いいのにと考える。高価な補聴器の費用援助が受けられず、父母の負担が重いことを嘆く。正子の文通相手の少女が原爆病であるという設定をして教科書から原爆の記述がなくなることへの批判を描く。

『５０００匹のホタル』のもともとの構想は、ホタルの光が飛び交う心温まるファンタジーの世界のような作品であったが、取材を続けていくうちに社会への通路としての児童小説の誕生となったのである。

〇松下の体験

この小説には松下自身のことを念頭に置いて造形したと思われる箇所がいくつもある。題材を広く社会に求め自分とは直接無関係と思われる「蛍の交流」の話を書こうとした、そんな松下であったがその登場人物の造型や場面場面の設定には、はからずも松下自身の体験が深く刻み込まれている。その中のいくつかを挙げてみる。

①玉子が受け持つことになった児童のひとり、小学校二年生の一夫。一夫は次のように書かれている。

一夫は、気味が悪いほど痩せている。二歳の冬、急性肺炎をわずらい、やっと命をとりとめたが、その時の高熱で耳をやられたのだ　（第一章　ことばの森）

松下の「年譜」（講談社文芸文庫、新木安利・梶原得三郎編　以下、特に断りがない場合はこの年譜による）にも生まれたときの「十月頃、急性肺炎の高熱により右眼失明」とあり、この病気がもとで虚弱の体質となり、後に肺結核の診断を受ける。また、左の耳が聞こえづらくなるという症状も出ている。

「一夫は、ひどく内気な性格なのだ。」とも書かれ、松下の性格そのままだ。

②一夫は運動も苦手である。運動会で一夫が入ったリレーのチームはかならずビリになる。一夫は嫌で嫌で仕方ない。玉子の激励で仕方なく出場し、やはり徒競走でもリレーでもだめだった。松下は「運動会」（『豆腐屋の四季』）という文章の中に、「ひどく運動神経のにぶい私は、殊に徒競走が異常なほどのろかった。そんな私にとって秋晴れの運動会がどんなに辛かったことか。」そしてリレー競技では「私の加わった組はきっと負けるのだった。お前のために負けたんだ、

お前さえいなければと、私はまるで厄病神のようにみなから非難されののしられた。」と書く。ビリになった一夫に対して玉子は次のように心の中でささやきかける。

そうですよ、どうしても世の中には越えていかねばならない悲しみ苦しみというものがあるのですよ……

松下は自分に向かってこの言葉を投げかけているのだ。

③松下家は母を喪った後、豆腐屋に女手が必要なことから、父が後妻をもらうこととなる。その義母は幼い女の子を連れて松下家にやってきた。実母を愛しく思う松下ら兄弟は最後までこの母子に親しく接することなく、結局いたたまれずにこの母子は松下家を去っていった。次のような設定は実際の松下家の実情を踏まえたものなのだろう。玉子が受け持った幸枝の家庭状況を「母」は次のように玉子に語る。

「幸枝さんのおとうさんとは、昨年の秋にいっしょになりました。……私が七歳の女の子を一人連れていて……幸枝さんが私たち母子をひどく嫌うものですから……（一部略）」

そして私たちが、邪魔になった幸枝をこの学校に追いやったのだと誤解した、と。

（第三章　音のない夏）

④受け持ちの男児実（まこと）が水死した。実が小舟に乗って川に落ちたのだが、一緒にいた友

人も耳が悪かったのでそのことに気づくのが遅れ、結局実は助からなかった。

松下が大分市の公害ルポを書くために別府湾の漁師と海に出たときの記事。（「星の通信」『絵本切る日々』）ここに聴覚障害者の老人ごんじいさんとの出会いが書かれている。ごんじいさんは生まれつき耳が悪かったが、結婚して生まれた男児に聴覚の障害はなかった。ある日、この子をつれて海に出た時、この子が舳先から海に落ち、そのことをじいさんは気づかず、結局この子は死んでしまった。

『絵本切る日々』は著者の生活記であるが、事実に虚構を混じえて書いている、と松下自身が言っているように、このごんじいさんの挿話も全てそのままの事実とは考えられないにしても『5000匹のホタル』の準備をしている時期の文章として、その関連は注目される。

○玉子のこと

私はこの作品は、時代を見据えている点、また一人の新米保母玉子の、いくつもの壁を乗り越えて成長していく通過儀礼を基とした物語としてはよくできた作品だと思っている。玉子が泣き虫でいろいろの場面で右往左往している姿も目に付く。自分の受け持ちの子どもたちのことをよく知ろうと努力する。そしてどうにかして「秩序」を保とうとも思い、その意識が高じるとなかなか周囲になじんでくれない子どもに対して、つい強い言葉を吐いたり、一度は叩いてしまうということもしでかしてしまい、その自分の行為に深く反省して泣き出してしまうのだ。まだまだ未熟な面も多々あるのは仕方ないだろう。ただ子どもたちとの日々の生活の中で、今まで世間のことをよく知らず偏見の目をもっていたのではなかったか、と素直に反省する面も出てきた。玉子の父が「むごの学校」と言うのに対して玉子は強く反発した。「むご」とは大分、福岡、など九州地方の方言で、「無語」から来た言葉だという。「唖」(おし) を表す。

玉子の言動をよくよく読んでみるとしっかりした意思を持った女性であることも分かる。少なくともそう努力しようと思っている女性である。聾学校や寄宿舎の先生や先輩にただ唯々諾々と追従しているだけではない。

「つまりね、ろう児たちは、ことばもとぼしく、それだけに考えも浅く、思いつめることもしないので、自分で自分の不幸に余り気づいていないのですよ。単純なんですねえ。中には、四年生頃まで、自分が普通の人とちがう身障児だということさえ、気づかない子もいるほどですよ。だから、こんなに明るいのです。あの明るさも、そこまで考えてみれば、やはり悲しく、ふびんな現象なんですけどねえ」と、園長先生はいったが、玉子には子供たちのこの天衣無縫な明るさが珠玉のように無垢で、貴く思われてならない。

(第一章　ことばの森)

このようにろう児教育のベテランである園長先生の言葉を肯首しながら聞いていながらも、玉子は素直な気持ちで、自分はこう思うのだ、と自分の思いをしっかり持っている。そして子どもたちに対する愛情が次第に深まっていく様子は、玉子の着実な成長を物語っている。たとえば次のような場面。

手話を子どもたちから習ってもなかなか上達せず、本を見ながら練習していると先輩の荒木先生から優しく諭された。

「玉子は自分の卑怯な行為に、頬を染めて恥じいった。」

さらに、次のような場面。子どもたちは誕生会のおしるこのごちそうがほしくてたまらない。九月の誕生会に本当におしるこが出てみんな喜んでいただく。

「夜、子供たちの部屋にきた玉子は、あっと思った。実の花瓶の横に、お椀にわずかながら、おしるこが供えられているのだ。正子だろうか、幸枝だろうか。たった一杯ずつしか出なかったおしるこを我慢してたべ残し、こうして部屋に持ち帰り、実に供えているのだ。そんなことまで思いおよばずに、うかうかと一杯のおしるこを食べてしまった大人げない自分を、玉子は頬がほてるほどはずかしく思ってしまった。」

この小説の中で私が最も好感を抱いた場面のひとつはこのおしるこの箇所である。亡くなった実のことを始終思いやる子どもたちがいる。このことだけでも何と貴い姿であろうか。そのことに思い至らなかった玉子が「頬がほてるほど」恥じ入ったのも率直な態度であり、それほどこの新米保母は素直で真面目な人だと思う。おそらく天性のものであり、玉子はすばらしい先生になる可能性がある。

○玉子のうそ
そんな真面目な玉子であるからこそ犯した罪かも知れない。玉子は、担任となった幸枝という少女に、その頑なな心を開かせようとして一つの策略を施した。

幸枝は小学校六年まで普通学校に通っており、突然聴力を失う病気にかかり、中学生になってろう学校へ転校してきた。玉子は新米の保母としてこの幸枝に体当たりでぶつかった。激しい言葉で幸枝を叱り、(そしてすぐに後悔するのだ。)「幸枝を憎んでいる自分」をみつけ、ハッとする。そしてある時は、「思わず幸枝の頬を平手でなぐった。」玉子は叩いた自分のほうがたまらず泣きじゃくってしまう。後に玉子は幸枝の家庭の事情を知ることとなる。そこで採った玉子の行動は、私が初めてこの作品を読んだときにも当惑を感じその後何度も繰り返しこの作品を読んでいく中でも氷解せず私の胸を重く疼かせた。玉子は嘘をついて幸枝をだました。「この解放された夏休みに、自然の中に誘い出して、本当に心をつくして語り合ってみるしかない」と玉子は考え、山国川のキャンプ場で幸枝と話をした。新しい母を母と思わない幸枝に向かって、玉子は自分の母も本当の母ではなく、実母は四年生の時に死んだと告げた。そして偽りの作文で自分の嘘を完璧にし、幸枝の心を開かせようとする。次は玉子の心の内だ。「私はこの子に嘘をついてしまった。こんなに自然に嘘をつけた自分に、玉子は不思議な気がしている。自分の母も早く死んだというのは、玉子の嘘だった。新しい母がきたことも、その母が家出したことも、綿入れの話も、みんなみんな玉子が作り出した嘘の話だった。でも、こういうしかないんだもの……と、玉子は自分の作り話を肯定しようとする。」

(第三章　音のない夏)

玉子の作戦通りこの後の幸枝は自分と同じ境遇で苦しんだ玉子のことを思い、実に素直ないい生徒に変わった。

キャンプが終わり駅のホームで見送る玉子に幸枝は電車の中から手話を送った。その意味は〈せんせい　すき〉であった。「玉子に歓びが突き上げた」。私はこの場面を玉子の歓びとはらはらに限りなくつらく読んだ。嘘の成果としての歓びの、何と後味の悪いことか。一年目の新米保母である玉子に、どれほどの要求、期待をしようとするのか、玉子の不安、孤独をまずしっかり認識して子どもたちとどう接すればよいのか、真面目に考える必要があろう。ろう教育に長じた先生、先輩のいうことを、そうなのだろうかとまず心の中で反芻してみて自分の本当の心と照らし合わせて玉子は考え行動した。その思い、行いが完璧であるはずはあるまい。この嘘も全くの無我夢中の中で「秩序」を保つことが一番だと考えてしまった玉子の一つの大きな間違いであったのだ。

私は人生をわたる上でこのような謀略は大きな問題だと思った。作品の展開上このような方策を採るのなら、この場面以後どこかでこの嘘に対する何らかのフォローがなければならない。いつかどこかで玉子は幸枝に「あれは嘘だった。」と告白し謝罪がなければならぬ。いや、告白、謝罪などはしなくてもどのような方法によってでも幸枝にあの玉子の話は自分を懐柔するための偽りであったのだ、と分からせなければならない。その後玉子と幸枝との関係が悪化するのか、あるいはそれを従順に受け入れるのか、それは松下のこの物語をどのように展開させ終末に向けて構築していくかの力量にかかってくるだろう。嘘で人心を意のままに操ることは罪であろうが作品を書く上では必要なことも往々はあろう。問題はその後のフォローになる。しかしいくらページをめくってもこのことに関する新しい展開は述べられず玉子は嘘をそのままにして幸枝はいい子のままで結末を迎えてしまう。私はこのことが『５０００匹のホタル』の最も大きな瑕疵だと思う。松下が引き続きこの作品の二幕三幕を書き継いでいくことで新たな展開がみられたのかもしれない、という予感はあるにしても児童文学作家になりそこねたと自嘲する松下にとってこの『５０００匹のホタル』は彼の児童文学の代表作となりながら、そして多くの読者をつかみながらも同時に多くの問題（この問題については『その仕事25』の山口泉の解説を参照）を孕んだまま私たちの目の前に一九七〇年代の時代を計るスケール（ものさし・定規）として生き続けている。

○ホタル送り

新聞の力というものを強く感じた。松下は社会につながる一つとしてとにかく丹念に新聞を読んでいる。一九七〇年六月の新聞で、ホタル送りの記事を読んだところからこの『５０００匹のホタル』は出発した。（朝日新聞であれば、六月十二日、大分合同新聞であれば、十一日の夕刊と十三日）その記事には大分県竹田市の明治小学校と大分市のろう児施設あけぼの学園の友情のホタルの交流の話が書かれていて松下はこれを児童文学として書けないだろうかと考えた。このことは先に述べた。このホタル送りは現在（二〇一九年）でも連綿として続いていて76回を数える。（明治小学校が統廃合されて、現在は竹田小学校が後を引き継いでいる。）

題名の「５０００匹」にも根拠がある。『五十周年記念誌　友情の蛍』（竹田市立明治小学校　平

成十四年十一月　以下、『記念誌』と略す。）の「蛍送りの記録」によるとあけぼの学園に送った蛍の数は次のようになっている。

一九七〇年（松下が新聞で記事を見た年）　４２００匹
一九七一年　５２００匹
一九七二年　５０００匹
一九七三年（出版の年）　５０００匹
一九七四年　５０００匹

以後一九七七年まで５０００匹が続く
『記念誌』の「蛍送りのあゆみ」によるとこの行事は次のような経緯で始まった。

竹田市がまだ竹田町で明治も明治村だった、昭和二十八年の春、当時あけぼの寮の寮長をしておられた山室寿先生（旧明治小校長）が、「耳の聞こえぬ寮児を何とか慰めたい。それには美しい光を放つ蛍がよかろう。」と、かっての教え子であり竹田にて日用雑貨商をされていた後藤彰さんに依頼したのがことの起こりです。山室先生から依頼を受けた後藤氏は、母校の明治小を訪れ、当時の校長、麻生吉彦先生に明治の子供たちの手でとって送ってもらえないだろうかと頼みました。二人の師弟の深いきずなと熱意に強い感銘を受けられた麻生校長先生の呼びかけで児童会が開かれ、「よし、ぼくらの手で蛍を持って行こう。」と早速、全校児童による蛍とりが行われました。昭和二十八年六月十二日、後藤彰さんの先導で、校長先生、明治小児童代表二名が約二千匹というたくさんの蛍を持ってあけぼの寮を訪れました。それが第一回目の蛍送りでした。（中略）昭和三十四年、明治の蛍の激減を心配したあけぼの学園で、蛍の人工孵化に成功し、「この行事がいつまでも続くように！」「明治の自然をなくさぬように！」と園から明治小学校に蛍の幼虫を返す「蛍の里帰り」行事も実施されるようになりました。

松下は『５０００匹のホタル』の第二章でこの蛍送りの行事のことについても詳しく書いている。この『記念誌』には古い写真も多数収録されていて、大分駅に着いた明治小児童の写真、（手には蛍の入った籠を持っている）、鼓笛隊で児童らを歓迎する写真などもある。

私が新聞の力と言ったのは松下が読んでいたと思われる朝日新聞、地元の大分合同新聞などを見てみるとその蛍送りの記事の前後に、たとえば大分出身の歌手にしきのあきらのこと、デパートで開催中のヘビ展のことなどこの作品の細部を彩るモチーフがその紙面にあふれていた。さらに松下の目を社会に開かせ行動を強いたともいえる山口の仁保事件のこと、日本各地の公害の実態のことなども。

松下の文学を作り出したものは幼少からの読書の蓄積とそれに伴う深い思索だろうが、日々目にする新聞の力も大きなものだったと思われる。

注①「著作自解」は『図録松下竜一その仕事』（その仕事展実行委員会編集・発行　一九九八年）に収録されている。松下本人が、ほんの二、三行ほどの短い文章で自作を簡潔に紹介している。

注②「松下竜一著作目録（刊行順）」は松下が読者に本を送る際に本の中に挟んでいたもの。白色、黄色の紙に、本人自身の一、二行の自作の紹介文が書かれている。新刊が出ればその都度更新したと思われるが、私の手許には『私兵特攻』（一九八五年刊）までのものしかない。「著作自解」同様、参考までに挙げておく。

❷『ケンとカンともうひとり』 筑摩書房

一九七九年四月二十五日第一刷　小学校上級から

絵・今井弓子　236ページ　一二〇〇円

○著作自解

一九七八年一月九日に長女杏子が生まれたが、もうひとつの命の誕生を待つ幼い兄弟ケンとカンを中心とした物語。小学校上級から読める児童向け小説になっているが、大人にも読んでほしい。

○松下竜一著作目録（刊行順）筑摩書房・一九七九年刊／一二〇〇円

あかんぼの生まれるのを待つ一家の物語

小学校上級以上の児童小説

「ずいひつ ケンとの契約書」（『草の根通信』第77号　一九七九年四月五日発行）の中では、「小学校中級以上の児なら誰でも読める児童小説である。」と記している。

この作品は危うく刊行中止に追い込まれるところだった。出版元の筑摩書房が一九七八（昭和53）年七月十二日に会社更生法適用を申請した。この申請は十一月十五日に適用が決定した。「ずいひつ ああ、倒産」（『草の根通信』第69号　一九七八年八月五日発行）に、松下は次のように書いている。

「6月に同社から刊行した『潮風の町』は、これで一円も印税を貰えないことになったし、更に9月刊行予定でゲラ校正まで済ませていた『ケンとカンともうひとり』も、宙に浮くことになった。」

ただ幸いに「ずいひつ ケンとの契約書」では「昨年の筑摩書房の倒産で宙に浮いていた『ケンとカンともうひとり』が、同社の再建でこの四月末に刊行される運びとなった。」とひとまず安堵した状況が語られる。

後にも触れるが、松下には作品の構想は定まっているのに、あるいは題名までも想定しているのに結局日の目を見なかった作品がいくつかある。児童文学に関しても二作を確認している。この『ケンとカンともうひとり』が曲折はありながらも読者の手に届けられたことは幸いであったと思う。

○「生まれるまで」

さて、この児童小説が書かれるいきさつについては松下が「ずいひつ　赤ちゃんは福の神か!?」(『草の根通信』第60号　一九七七年十一月五日発行)の中で事細かく述べている。

松下自身の健康状態、経済状態が思わしくなく第三子を生める状況ではなかったのに「この物語を書こうと思いついた瞬間から、一家をあげて新たないのちの誕生を待ち始めるように激変したのだったから、本書はなによりも私自身にとって救済の一冊であったという思いが濃い。」(『その仕事27』エッセイ)

「この物語を書こうと思いついた瞬間」というのは松下の先の「ずいひつ」によると次のようなことだ。夜、身重の妻とケンとカンの兄弟が一緒に風呂に入っていると楽しげな声が響いてくる。新たに生まれてくる赤ちゃんへの期待から子どもたちは大きくなった母のおなかに興味津々である。

「突然、松下センセの中の作家の琴線が鋭く高鳴った。これだ、これを書くのだ!(中略)そうだ、それを児童小説にしよう。『生まれるまで』という題はどうだろう。」

このような経緯でこの作品は書き始められた。(『ケンとカンともうひとり』はもともと『生まれるまで』という題を想定していたということもわかる。)

そしてさらに興味深いことにこの「ずいひつ」には、後に本になるその「第一話 いのちの火」の冒頭部(5ページ~8ページ2行までの部分)がすでに書かれていたことがわかる。お風呂場での妻と子どもたちとの歓声が耳に入り、松下はすぐに、本当にすぐに物語を書き始めていたのだ。

この小説は、母のおなかにいる小さな命が、やがて月満ちて誕生するのを待つ、二人の兄と弟の物語ということになる。新しい命を迎える二人の小学生の心の動きがたおやかに描かれる。いくつもの事件に遭遇し、その期待と不安が二人の成長に大きく、小さく影響を与え物語は進んでいく。この物語は「いのち」にあふれているといえる。

○夏から冬の物語

「第一話　いのちの火」は「夜の町が雨になった。大通りのプラタナスの若葉が、これでまた一段と緑の色を濃くするだろう。」という書き出しで始まる。私（中野）はプラタナスという言葉を聞くといつも「プラタナス夜も緑なる夏は来ぬ」という石田波響の句を思い出す。

プラタナスの緑が美しく濃く輝く夏の日、二人の兄弟はおかあさんがもう一人の子どもを産むという話を初めて聞くことになる。そして森羅万象の命の始原ともいえる濃い緑のあふれる夏に始まった、この一家の赤ちゃんを待つ物語は新しい年の一月、女の子の誕生を迎えて幕を閉じることとなる。生まれたその日は雪の降る寒い日の夜であった。

○いのちの火

「いのち」と「火」の結びつきを考える際、まず最初に思うのは、例えばグリムの「死神の名づけ親」という話である。（引用は岩波文庫『改訳グリム童話集　第二冊』金田鬼一訳によった）

死神が名づけ親になってくれたことによって、貧しい若者は名高い医者になった。ただ若者は二度も死神を欺き、死ぬはずの人間を助けてしまう。死神は若者を「地面の下の、どこかの洞穴の中へつれこ」んだ。その洞穴の描写。

「なん千とも数知れない燈火が、見わたすこともできないほど、幾列にもならんでともっていることでした。大きいのもあり、中くらいのもあり、小さいのもあり、目ばたきをするまに、そのあかりが、いくつか消えるかとおもうと、また別のがいくつも燃えあがるので、小さな焔は、入れかわり立ちかわり、あっちこっちへぴょんぴょん跳びはねているように見えます。」

死神は言う。「これは、人間どもの命の燈火だ。」

おそらく松下はこのグリムの童話を読んでいたのだろう。そして人の命は、ろうそくの焔のようのものだ、というイメージを心の中で作り上げていったのではないか。

この小説は命の不思議さ、尊さを伝えようとする小説である。「第一話　いのちの火」の中でおとうさんは子どもたちに次のように語りかける。

「なぜおまえたちが生きちょるんかちゅうとだなあ……おまえたちの中で、いのちの火が燃えよるからだ」

生きているということは体の中でいのちの火が燃えている状態だ、という。

おとうさんとおかあさんのいのちの火が触れあって、もう一つの新しいいのちの火がおかあさんの体の中に燃えはじめる。これが生であり、この火が燃え尽きたときが死である、と説明する。いのちの火は次から次へと引き継がれていく。それは人にだけあるものではなく、この世に生きているありとあらゆるものの中にもあるということをこの作品は伝える。子どもたちに贈る最も大切なメッセージであろう。

動物たち、植物たちの体の中にもいのちの火があり、そのいのちを守ろうとする行いを「自然のしくみ」という。つばめを呑んだ蛇は憎かろうが蛇もそうしなければ自分の命を養うことはできない。鳥も虫を食べ、魚を食べる。そして人も多くの他の生き物の命でその命を養っている。「自然のしくみ」はそうなっている。このことを子どもたちはひとつひとつの経験を通して身につけていく。大人になっていく。この小説も夏から冬にかけての季節の推移の中でいのちをみつめながら二人の子どもたちが成長していく物語である。

○あえかなものへの愛惜

松下はもともと身の回りにあるほんの小さないとおしいものを短歌として詠み続け、また小話の中にこっそりと埋め込んでいった。その小さなものを松下は繰り返し繰り返し「あえかなもの」と呼んできた。松下のどんな作品の中にもその「あえかなもの」が描かれ、読者である私たちはその一節に出会うことを至上の喜びとしている。

裏縁の上の軒端に掛け渡している物干竿に、昨夜の雨のしずくがこぼれそうに玉となってとまっている。（中略）いま、水玉に朝日がさして、その小さな玉から眼を射るような白光がはげ

しく放射している。その白光の外側には、細い細い数千本もの光の針が虹色にきらめいてとりまいている。（第一話　いのちの火）

おとうさんと子どもたちは「美しいなあ」「すげえのう」と賛嘆の声をあげる。ささやかながら自然の与えてくれた賜物である。松下の筆はこのような美しい自然の描写の際、さらに勢いづく。もうひとつ、売れない作家であるおとうさんの「小説リアリズム」のためにみんなでシャボン玉を吹いている箇所。（第十話　名を考える）

「シャボン玉がふくれて来るときに、吹いているおかあさんの顔が、シャボン玉の下半分にはまっすぐ映るんに、上半分にはさかさまに映りょろうが。おもしりい現象やなあ。」とお父さんは言い、みんなで吹くシャボン玉は「美しくあえかな虹色のシャボン玉があとからあとから生まれて、部屋の中にただよった。」

ここには短歌を作るために狭い豆腐屋の土間の中から何か小さな美を発見しようとしてきた歌人としての目がある。そしてその短歌のようにこの二つの場面も水玉とシャボン玉というあえかなものをいとおしむ作者の心情が強く表れている。二つの玉を彩るのはまさに太陽の恵みであるという事実を松下はずっと忘れないで書き続けていくのである。

『５０００匹のホタル』の主人公新米先生の玉子という名も太陽の光を受けてのびのびと成長

するその姿にふさわしかろう。

○白い鳥

ケンとカンの兄弟は福岡の病院で検査を受けるおとうさんに荷物を届けるため、二人だけで汽車に乗り中津から博多までの初めての旅に出る。（第七話　小さな冒険）

心細い二人だけの遠出はいつかは体験せねばならない大人への道のりの一つ、通過儀礼である。おかあさんの妊娠がわかってからの約半年で子どもたちはいくつかの大人への体験をする。ケンは苛立っておかあさんといさかいを起こすし、カンははしかで学校を休み、快癒してからも学校に行きたくないとだだをこねる。生まれてくる赤ちゃんにおかあさんをとられるのではないかという不安もその要因の一つとしてあるのだろう。また、おとうさんと石投げをして勝ってしまうという体験もする。これからも、その力、知恵で大人たちを凌駕する経験をひとつ、またひとつと積み上げていくことになるのだ。

その通過儀礼の体験の中でもこの博多行きは最も大きな事件の一つであろう。自分たちを庇護してくれていた家族や「町」とも離れてしまうのだから。車中で前の座席に座っていたおじさんは奇妙な人だった。「火のついたたばこを、いきなり自分の左の手の甲にぎゅっと押しつけ」る。二人は目を丸くしてみつめる。二人から博多行きの理由を聞かされたその太ったおじさんはいいことを教えてくれる。「昔から鶴はめでたい鳥でのう、お見舞いの途中で鶴に会えば病気はよくなるちいわれたもんじゃ。今はもう、鶴はここらにゃおらんから、シラサギが鶴のかわりみたいなもんよ。」

そう聞いた二人は車窓を眺め懸命にシラサギの白い姿を捉えようとする。そして二人はやっとのことで畦道にいる白い二羽のシラサギを見つけた。その時の興奮、安堵。ケンは「なんだかのどの奥がつーんとして、涙がこみあげてきそう」になる。博多駅で会ったおとうさんにはこのシラサギの秘密は話さないでおいた。秘密は秘密のままの方がその願いが叶うという気がしたからだ。病気がちなおとうさんを思う二人の真剣な姿がかいま見える。

蛇足になるがこの車内で出会った男たち二人について松下は「太ったおじさん」「隣りの痩せたおじさん」と説明する。まことに昔話的（童話的）な表現である。二人の人物を登場させる時、対照的な姿・形・性状などを持つ人物として設定する。読者の子どもたちにとってわかりやすいからだ。松下はこのような「型」を非常に大切にする作家だと思う。

また松下の作品には鳥の姿が多いということも読者である私たちはすぐに気づく。後に河口でカモメにえさをやる松下夫妻の姿が有名になるが鳥に対する思い入れはずっと続く。鶴は千年といわれ、長寿の象徴であり、その純白の清楚な美しさは、たとえば丹頂鶴のように頭に赤色があるとさらに赤と白の組み合わせの美しさが生まれ、古来から人々はめでたいものとして考えていた。

もうひとつ、白い鳥には人の魂が籠もっている、という見方もある。死んだ人がこの世に現れる姿として白い鳥をみていた。

死んだ妹が白い鳥となる。最愛の妹を亡くした宮沢賢治の絶唱がある。

二疋の大きな白い鳥が
鋭くかなしく啼きかはしながら
しめった朝の日光を飛んでいる
それはわたくしのいもうとだ
死んだわたくしのいもうとだ
兄が来たのであんなにかなしく啼いてゐる

「白い鳥」（『春と修羅』引用は、ちくま文庫版『宮沢賢治全集』1）

切実な死者との出会いという面も持っている。賢治のこの詩にはヤマトタケルノミコトの神話も取り入れられている。

（日本武尊の新らしい御陵の前に
おきさきたちがうちふして嘆き
そこからたまたま千鳥が飛べば
それを尊のみたまとおもひ
蘆に足をも傷つけながら
海べをしたつて行かれたのだ）

多くの魂たちが今この世で生きている者たちへ慈しみのまなざしを送っている姿、それも白い鳥の本来の姿なのかもしれない。

さて、ここで二人が見たシラサギは、次の「第八話　さぎあしの六」へとつながり、さらに日常、近くの河口で見なれているシラサギへの愛惜となってこの物語は続いていく。

○「第八話　さぎあしの六」

おとうさんは河口で蟹釣りをする子どもたちにある話を聞かせる。それが第八話の中のもう一つの作品、入れ子形式としての、「さぎあしの六」の話であり、昔話の世界の雰囲気を強く漂わせている。

「さぎあし」とは竹馬の方言で、「鷺の足」すなわち「長い足」という意味を持つ。「竹馬に乗ったときの足の長いさまが、サギやツルの足の長いのに似ているから。」（山中襄太『方言俗語語源辞典』校倉書房　一九七〇年）と説明する。この方言は東北から九州まで広く使われているという。

六という十三歳の少年は、畑仕事の手伝いもせずさぎあしばかりに乗っている。ぽっこぽっこと一日中さぎあしに乗って村を歩き回っている。ある日「さぎあし禁止令」が出されたことからこの話は大きく急展開する。六や母親、村の衆を巻き込み、民衆を虐げる武士の高慢さを批判する内容となっていく。また、六のような少年を共同体の中で暖かく育てている村の人々に対する、或いはその時代に対する作者の憧憬もあるのかもしれない。

いる。

「大人になりきれず」「生活者になりきれず」とは松下の常に語る言葉であった。

先ほどこの六の話は昔話の世界の雰囲気がある、と書いたがもう少し詳しく言えば「吉四六話」と相通じる所があるのではないかと思われる。松下は「吉四六話」について次のように書いている。

「吉四六さん」は大分県の典型的民話であり、貧乏だが働き者の百姓吉四六が、一度つむじを曲げたらてこでも動かぬ強情者になり、意表をついた知恵を発揮して、お庄屋や役人をへこますという小話集である。

（『風成の女たち』）

ただここにもう一つ、「吉吾話」というものがある。「大分県中津市を中心に、おおむね豊後国の国東半島と、豊前国宇佐郡・下毛郡、福岡県筑上郡・京都郡などに伝承されている笑話。吉吾は豊前中津の住人とされ、『中津吉吾』とも通称される。」「吉四六話とほとんど同じである」（『日本昔話事典』弘文堂　一九七七年　ただし説明文中の「筑上郡」は、正しくは「築上郡」である。）この事典では吉四六話については「主として大分県中南部に伝承されている笑話。」であると説明する。

大分中津生まれで、中津に育った松下は当然「吉吾話」が伝わる地域であるのに、なぜか松下の中ではこのように頓智に富み、知恵を働かせて武士やお役人などと堂々と渡り合う人物は吉四六さんであった。ここには大分で造形劇場を主宰して各地で民話劇吉四六さんを公演して回る知友野呂祐吉の姿があったのかも知れない。

さて、この「さぎあしの六」に吉四六話の雰囲気があるといいながらも、この話では六が頓智を効かせて難局を乗り切ったり、笑いの中で話を収めたりするわけではない。ただひたすら六は好きな「さぎあし」に乗る幸せを享受するだけだ。ただ「ちょっと頭がおかしいというにおい」をただよわせている六にしても、今回のさぎあし禁止を巡る一騒動は詳しい事情は理解できなかったにせよ、強く胸に響いたに違いない。この後もいくつもの大きな小さな体験を経て、成長していった六こそが、あの愛すべき吉四六になるのではないかと私は思う。六は吉四六の「六」である。この話はまだ幼き頃の吉四六さんの一挿話である。

おとうさんが話し終わった後、子どもたちは対岸の土手におかあさんの姿を見つける。河口からはシラサギが飛び立つ。子どもたちやおとうさんはこのシラサギを、きっと丈夫な赤ちゃんを授かる幸せの予兆として見るのだ。

○男の物語
松下の作品には「男」の物語が多いのではないか、という印象を持つ。これから読んでいく松下の他の児童文学作品においてもこのことは顕著である。

おとうさんには童話を書いている小池君という若い親友がいる。赤ちゃんが生まれるお祝いに小池君は三粒の植物のタネを送ってくれた。そのタネがいつの間にかなくなってしまう。いくら探しても見つからないので、おかあさんが「タネ三粒んこっちゃから、あきらめようや」

と言ったとき、おとうさんは怒声を浴びせる。「なにがタネ三粒んことか！　このタネには、男の友情がこもっちょるちゅうことがわからんのか！　それをどこかになくしましたですまさるると思うんか」。（第六話　ナゾのタネ）

このおとうさんにとって一番大事なことは男同士の友情であっておかあさんへの思いやりではない。いや、おかあさんに対する慈しみ、愛情はもちろんあるのだろうが、それよりも男同士という美辞にとりつかれているのがおとうさんということだろう。

また、兄弟二人だけで博多に行くことになって尻込みしていると「ばか、男の子が三年生にもなって、そげなんこともできんで、どうするか！」「おまえも男の子なら、そのくらいの冒険をしてみろ」とおとうさんに言われる。（第七話　小さな冒険）

現在、男の子は、女の子はと、性差を付ける固定観念的な発想は徐々に見直されてきているが、それでも偏見的な見方はまだまだ残っている。この作品の書かれた一九七九年当時、世の大勢はこのようなおとうさんの考え方が一般的だったのだろう。また、おとうさんは、自分が病弱でやせっぽちの男であることを常々自覚していて、子どもたちには力強く元気に成長してほしいという願いが人一倍強い、ということも関連しているのかも知れないが。

○全十一話がそれぞれ身に沁みてくる作品である。子どもたちと一緒に過ごすこのかけがえのない日々がいとおしく輝いて見える。このような体験ができる者は幸せなのだと思う。世にある幸せの「ひとつの形」であることに、間違いはない。

また、この文章に引用した『草の根通信』の「ずいひつ」三編は、いずれも後に『いのちきしてます』(三一書房　一九八一年)に、題・本文を一部変更して収められている。

❸『まけるな六平』講談社(児童文学創作シリーズ)
一九七九年七月二十日第一刷　小学上級から
絵・鴇田幹(ときたかん)278ページ　九八〇円

○著作自解
福沢諭吉の旧邸がある福沢公園につどう少年たちの物語。作者の中学時代の思い出を、児童小説として再現している。

○松下竜一著作目録(刊行順)講談社・一九七九年刊/九八〇円
中学生六平を中心に、豆腐屋一家の物語
小学校上級以上の児童小説

松下は『その仕事26』(エッセイ)でこの小説について次のように述べている。

『まけるな六平』の世界は、この著作集の第一期を読み通してきた読者にはすっかりおなじみといっていいだろう。あちこちの巻で書いてきた挿話を核にすえて『まけるな六平』の各話が成り立っていることも、全体の骨格が『あぶらげと恋文』の時代に照応していることにも、すぐに気づくだろう。

そして一つの小説的工夫としては、本来は良樹（私）の体験であることが主人公六平（私の末弟）の体験に変えられていることにも、読者は気づくはずである。そういう工夫によって、私は〈福沢公園の子ら〉を思うさま描けたと思っている。

『まけるな六平』は、いまはもう消えたにひとしい旧福沢公園に捧げる私のオマージュであり挽歌である。

地方の小都市で豆腐屋を営む末松一家。母は過労で亡くなり、長女は嫁いで近くに住み、次男・三男は上京、五男五夫は夭逝した。父と長男良樹（松下竜一）と四男義人、そして六男の末っ子六平の四人家族で日々過酷な豆腐屋稼業に励んでいる。六平の中学二年生から高校受験を控える中学三年生までの生活が語られ、多くの困難の中でたくましく成長する姿を描く児童小説になっている。生きることの意味、家族というものの正体、生と死のこと、六平はひとつひとつの課題に真剣に取り組んでいく。

主人公を末弟にしている「小説的工夫」はあるが、この小説は松下の自伝的作品としてみてもいいだろう。

「あとがき」に、二十一歳で自殺を思い、果たせずそれから二十年を経てこの小説を書いたと述べる。「これは創作であるが、しかしあのころの生活体験をこく反映している。」と書く。その「こく反映」された当時の作者の生き方については松下が残した日記があり、その一部（一九五八年三月十二日〜一九六〇年一月十一日）が『あぶらげと恋文』（径書房 一九八八年）として刊行されている。また『豆腐屋の四季』『吾子の四季』などにもこの当時の作者の想いが綴られている。これらの資料に当たりながら『まけるな六平』を読むことで、松下の当時の息づかいが胸に迫るほど強烈に伝わってくる。松下が一番下の弟に強い愛情を注ぎ、彼のために死ぬことをやめ生きていこうと決心するあたりは胸を打つ。この作品は「旧福沢公園に捧げる私のオマージュ」ではあるが、末弟に対する愛惜と感謝の気持ちで描かれた小説ともいえるだろう。

この小説のテーマはこれも「あとがき」で言うように「つらさ」の体験の意味であろう。「どんなにつらい日々でも、過ぎ去ってみれば、そのつらさこそが生きていくことのなつかしさとうらはらになっているものだという」意味深さ、これを伝えたかったといえる。『豆腐屋の四季』では松下の自殺行の顛末が語られ、映画「鉄道員」をみて死ぬことをとどまり「必ず時が解決するのだ」と述べている。

兄弟たちの諍いに翻弄されながらも、それでも六平は様々な周囲の人々の中で生きていく。「少年福沢会」をつくった六平たちの前に現れる福沢公園の管理人の老人は、児童文学の中でよくいわれる「導きの者」の姿であり、子どもたちに世界のあり方を教えてくれる。大学助教授とその娘リエ子の登場はその老人の隠された優れた真の姿の発見に通じ、幼い淡い恋の予感もあり、この小説を彩ってくれる。そして長男の見合いの話も好ましい女性との出会いという点でこれから先の明るい未来も展望されよう。「中野の甚」「妹が頓死したと叫ぶ老婆」「ラッキョ先生」そして「しっかりした姉とさんざん問題を起こす兄たち」さらに母・父・義母、これらの個性的な脇役の配置も成功して、この作品は多彩なエピソードの構築で作品世界を深めている。

『まけるな六平』は講談社から依頼された、松下にとって三作目の児童小説であり、このような自伝小説をいつかは書きたいと願っていたのだろう。松下は「児童文学」には極めて正統的な型を求めているように感じられる。一つの型（パターン）として第一作『５０００匹のホタル』でも採用したような、最後の場面を広い世界、社会への未来に向かって拓けている形式で閉じる物語を用意している。喧嘩相手の少年たちとの和解と別れ、ふるさととの別れ、苦しく、そして楽しかった中学時代との訣別、新しい未知の世界に入っていく希望と不安、畏れ、しかしそれでも作者松下自身が考えていたように（このあたりの松下の心境については『豆腐屋の四季』以下の作品に繰り返し表出されている。）社会に向けての発信がここにも現れている。

また、短歌から文学活動を開始した松下は、どこまでも自然をこよなく愛し、その「あえかな」表情ひとつひとつを見逃すことはない。松下の児童文学のあちらこちらにその自然派の面目は遺憾なく発揮されている。松下の「原風景」ともいえる生活の場所、豆腐を配達し続けた河口の景色、海の美しさ、鳥の鳴き声。松下が海を埋め立てる発電所建設に反対の声を発したのもこの「原風景」を守るためであった。

六平たち兄弟は浜辺でうち捨てられていた木の櫓を拾って帰ろうとする。焚き物に使うためだ。

重い櫓を、かたほうを砂に落としたまま、六平はずるずると引いていった。
「あっ、六平。そこは通るな」
良樹がふいにするどい声を出したので、六平はびっくりして足を止めた。
「ほら、そこに小鳥の足あとがある」
良樹が指さした砂に、まるで松葉をちらしたようなかすかなあとが残っていた。六平は、そのかすかな足あとをさけて、重い櫓を引いていった。

（第八章　ボーセキ太郎）

○兄弟の話、そして女性の位置

松下は兄弟の絆の強さ、自分たち兄弟に流れる「血」の強さに非常にこだわっている。松下兄弟の、夢見る性向が強く、夢と現実の狭間で苦悶し、挫折する姿を数多くその随筆作品の中で述べている。ただ最終的にはその姿を肯定しているといえる。この作品の中でも長男良樹（松下）はさんざん問題を起こす弟たちを結局は信じ、赦し肯定するのだ。時が解決すると考えるのだ。

母が死に、唯一の姉である康子は結婚し家を出た。女手の必要性から後妻（笹子）を迎えるがその笹子も連れ子の雪江も兄弟から追い出されるように早々と家を出る。もう一度帰ってきて貰おうとする父に対しても六平は「おれは反対だ」と拒絶する。松下家は男性ばかりとなる。

それでも六平たちがさいふを拾った縁で友だちになった屋形リエ子と、長男良樹の見合い相手の向野久美という二人の女性の登場は瓦解寸前の男たち兄弟のくさびとなり新しい家族の構築という次の段階への出発点となるのかもしれない。
そんな予感も漂う作品なのだが私はそれでも最後の場面に小さな引っかかりを感じている。

いま、ひょっとしたら自分たちは少年期をおえようとしているのではないかと。それは、まったくふいにうかんだ考えであった。だが、その考えはぐいぐいと心にひろがって、六平をたまらなくさせた。なにかとてもなつかしく、なにかとてもいとおしいものが、自分の中から消えていこうとしているような、たまらない不安とやるせなさがうずいている。それは、自分だけのことではないのだろう。六平は、月光にそまっているみなの横顔をそっとうかがった。
（第十三章　わかれの夜）

情感あふれる最後の章「わかれの夜」、福沢記念館の屋上でしみじみと語り合い、少年期の終了の寂しさも漂うその雰囲気を作り上げているのは「七人の男たち」だけである。一緒に「お別れ会」の手伝いをした女生徒房子は「聖地」の屋上には上れずただ屋上を見上げながら「わたし、先に帰るからね。」という言葉を告げてこの物語は終わっているのだ。この小説はやはり末松一家の兄弟の物語といえるのだ。

○「山の顔」のあこがれ

このモチーフは小説『まけるな六平』全体に流れているテーマと言ってもよい。文学を志向する長男良樹は豆腐屋という厳しい現実にがんじがらめになっている。しかしそれでも本を読み、思索の日々をたゆまねばいつかあのホーソーンの小説「大いなる岩の顔」に出てくる主人公のような人間になれるかもしれない、という強い願いを持っていた。「まけるな」、その思いがこの物語の中に滔々と流れている。

松下は「山の顔」(『豆腐屋の四季』)の中で、豆腐の配達に行く山国川の北門橋から八面山を眺めるとそこに「静かに天を仰いでいる」「大いなる山の顔」を見つけた話を書いている。

○ポン太郎とチョン公

山口泉は『その仕事26』(解説)の中で、この作品を読んで「かすかなしこり」のように残っているものがあるとして、いじめっ子のひとりの少年の「チョン公」と呼ばれるあだ名と、この作品の中で最後まで救われなかった彼のことが気になっている、という。「チョン公」というのが、日本では朝鮮人に対して最もよく使われた「蔑称」であり、わざわざこのようなあだ名をつける必要性について疑問を挟んでいる。

確かにポン太郎やチョン公がどうしてみんなをいじめる子どもになったのかについても、また彼らの生い立ちや生活ぶりについてもこの小説の中からはほとんど読み取れない。

創作の物語を作る上で主人公と対立する立場の人物を配置し、彼らとの対立や抗争やそして和解や友情やその他諸々の経験を重ねることによって主人公は成長していく。これは児童文学の一つのオーソドックスな形式である。この作品においても松下はそれに忠実であった。児童文学作家になろうとした松下の創作上のひとつの試みでもあったのだろう。
松下は「少年福沢会」(『豆腐屋の四季』) の中に「当時たいへんな腕白が近くにいて、腕力の弱い私たちは、深刻な被害を受けていた。」と書き、実際このような少年が存在したことを述べている。

ただそれらのことと、この少年をチョン公と名付けることとは別のことである。松下がどのような意図でこのように命名したかは確定できない。

松下の最も早いノンフィクション作品『風成の女たち』の中に風成地区の旧盆の奉納芝居に「別府市の旅回り一座玉川劇団」の「チョン助・チョン丸・チョン太郎三人兄弟」が登場したと書かれている。ひょっとしたら松下の頭の中に劇団員の名前としての「チョン太郎」があり、それを参考にしたのかもしれないとも思える。「公」という言葉は、人名などの下に付けて親愛の情やあるいは幾分かの軽蔑・さげすみなどの意を表すものである。松下が少年期に雀躍しながら読みふけった多くの本の中に特に「少年熱血小説」と言われるジャンルがあり、佐藤紅緑の「ああ玉杯に花うけて」はその代表作である。松下も心躍らせて読んだ思い出を語っている。ここに登場する貧しい少年たちはこぞって「ー公」と呼ばれる。八百屋の豊公、同じく八百屋の半公、ブリキ屋の浅公、そして主人公のひとり豆腐屋のチビ公である。中学に行けず、稼業に追われている身である。

松下が自伝的な小説を書いていく中でこれらの呼称を記憶の中からたぐり寄せたのかも知れない。ただ、山口が指摘するように、このあだ名の場面で「かすかなしこり」を感じるという精神は貴重なものだと思う。

○福沢諭吉と増田宗太郎

この二人については、六平たちが福沢諭吉旧邸管理人喜多村老人から諭吉の生涯を学ぶ勉強会の中で触れられている。福沢諭吉を郷里の誉れとして敬う気持ち、そしてその諭吉を暗殺しようとした宋太郎についても「純粋でまじめな、そして学問のある若者」であると説明している。

しかし、この児童小説では福沢諭吉の業績やその生涯についてはあまり重きが置かれているとはいえず、あくまでも福沢公園に集う子どもらが主役であったのだ。蛇足になるが、松下はその後『疾風の人——ある草莽伝』(朝日新聞社　一九七九年)を出版し宋太郎の人生に迫るが、諭吉に関する著作はない。

この『まけるな六平』は松下の児童小説の中でも最も松下らしい小説、そして松下の残した全ての児童文学の仕事の中でも、特に優れたもののひとつとして私は評価し、深く愛惜する。

❹『**あしたの海**』理論社（理論社の大長編シリーズ）

一九七九年十二月第一刷

絵・下嶋哲朗　286ページ　一二〇〇円

・裏表紙に「少年少女たちと公害について考えるメッセージ・ロマン」と書かれている。

○著作自解

海岸の埋立てに反対して逮捕され獄中に入った梶原得三郎さんを娘の眼でみつめた中学生向け小説。八〇年代を迎える若い人たちへのメッセージがこめられている。

○松下竜一著作目録（刊行順）理論社・一九七九年刊／一四五〇円

公害反対運動で罪に問われた父のために道代は立ち上がる　中学生対象児童小説

私はこの『あしたの海』は、ひとつは、反公害の闘いで逮捕され拘留された梶原さん（作品中では瀬木慎二）の生き方を巡る物語であり、またもうひとつは、その父の姿を見つめながら成長していく娘玲子ちゃん（作品中では道代）の苦難の道のりを描く物語でもあると考える。

○反公害小説

この作品は言うまでもなく、松下らの、豊前火力発電所建設に伴う豊前市明神浜埋め立て反対行動で逮捕され、47日間も拘留された同志、そして無二の親友梶原得三郎を巡る話である。

松下は、自分が体験した反公害闘争をテーマにした幾冊ものノンフィクションを書いている。『あしたの海』に重なるものとして『暗闇の思想を——火電阻止運動の論理』（朝日新聞社 一九七四年）、『明神の小さな海岸にて』（朝日新聞社 一九七五年）、『環境権ってなんだ』（ダイヤモンド社 一九七五年）、『五分の虫、一寸の魂』（筑摩書房 一九七五年）などがある。これらの著作をじっくりと読むことで『あしたの海』の背景を理解し、より深く作品の世界を体感できるだろう。

その意味で松下がこの作品を「反公害小説」（「ずいひつ ミニクキ争い」『草の根通信』第89号 一九八〇年四月五日発行）と言い切るのも当然のことである。この反公害の闘いを、娘玲子をモデルとした道代の言動を通じて中学生たちにも興味を持って読んでもらえるようにとフィクションの児童小説として作品化した。小学校から中学校へ進学する道代が大好きな演劇を通して父の無罪を訴え、父の行動の正しさを認識し、その考えを広げていこうとする姿をきびきびと描く。松下はこの小説を「反公害闘争をテーマにした」（「ずいひつ ミニクキ争い」）と言う。が、一読後すぐに了解されるのは、わずか十三歳ほどの身で思いもよらぬ苦難に出遭いそれでも一心に光明を見つけるため誠実に努力する一人の少女の成長する姿が実に力強く語られていることだ。

○成長小説

青春小説・成長小説といえば、数多くの佳作を私たちは持っている。成長の途次にぶつかる壁、主人公は苦しみつつ友だちとの厚い友情で、さらに大人たちの援助、導きでひとつひとつその壁を乗り越えながら前進し大人になっていく。道代が背負った父の逮捕という艱難は類い希な特異な体験であり、読者は読み進めながら胸を痛めるに違いない。

また、年頃の少年少女たちの友情、裏切り、思いがけない救い、世界の広がりの中でいやが上にも直面することになる大人の社会（道代は「みにくい大人の世界」と何度もつぶやくが）、その正体、それらに道代がどのように真面目に対応していったかを松下は丁寧に書きつづっていく。まさに小説を作り上げていこうとする強い意思が読み取れる。

小学校のお別れ会で演じた劇の大成功、その余韻の中、静謐な春休みの日々の中、たゆたう弛緩した気持ちのいい空気の中の道代。松下は次のように情緒たっぷりに書く。

ほんとに、私の心はすばしっこく動いていたんだわ。正体のまだ知れぬよろこびが、すぐそこまで迫っていて、それを予感した心の磁針が、もうおさえがたい期待にすばしっこくふるえつづけていたとでもいうように。そう、たとえばけさの光の中をきらめくように行き来していた二匹の小さな蜜蜂みたいに。（第一章　落椿）

「正体のまだ知れぬよろこび」、いい表現だと思う。未来に対する素朴な期待がうらやましいぐらいだ。そうして道代はまもなく中学生になろうとしている。

しかし父が懲役一年の求刑を受けることになって道代の心は動揺する。試練の始まりである。そして作品の最後の場面で「被告人瀬木慎二を罰金八万円の刑に処す。」という裁判長の判決を受けるまでの、道代の心の動き、行動、泣き、唇を噛み、笑い、そして深く沈黙し考える、孤独、そんな一ヶ月が第二作目の劇の上演という流れに沿って作品は展開される。

昼さがりの河口の土手で、草に埋もれて道代は軽い寝息を立て始めていた。もう、蝶が鼻先をかすめたのも気づかない。（第一章　落椿）

自動車に乗ろうとして、道代はふと保冷車の屋根にこぼれている真紅のものに眼をとめた。それは落椿だった。（第一章　落椿）

落椿から始まり、やがて蛍の季節を迎え、父の判決が下る。

駅へ行く歩道橋を登ったとき、道代は北九州市の空をぐるりと見渡した。空のどこかに虹がかかっていそうな気がしたのだ。（第四章　判決）

最後に道代は希望の虹をさがそうとして、この物語は幕を閉じる。松下は紛う事なき一人の少女の成長の「小説」を書こうとしているのだ。

私は松下の文章が好きだ。激情込めた強い口調もいいし、軽忽なユーモアもいい。そして心に訴えてくる穏やかな文章が好ましい。松下はひとつのものを凝視し、それを的確に短い言葉で言い切る才能がある。それを人は、歌人としての修練で体得したものとも言うだろうし、あるいは天賦の才とも言うだろう。私はこの世のひとりひとりの「人間」、ひとつひとつの「もの」に対する愛情の強さから来るのではないかとも思っている。幼少の頃からの病で、自分の人生は短いと諦念した若き日の松下は、何に対してもこれ以上ない真剣な眼を注ぐことに一途になってきたのではないか。特に自然の風物に対する優しさのまなざしは松下にぎりぎりの言葉を選ばせた。その目で松下は一人の少女の春から夏にかけての心の成長を見ていったのだろうと思う。

○シラクス党の結成と分裂

劇を巡る少年少女群像。これがこの小説の眼目である。道代たちは二つの劇を上演するが、その二つの劇の間に起こる劇団員の去就こそがこの小説の読みどころであり、彼らの、おそらく千々に乱れていく心の変遷を私たちはじっくり読み通していく必要がある。道代が最初に脚本を書いた「走れメロス」は「友情と信頼」の話だという。その「友情と信頼」が崩壊する（もちろん新たな友情や、困難にも崩れない固い絆の信頼もあるのだが）結果となるのは皮肉である。

まず「走れメロス」に集ったメンバーは以下の通りである。

1瀬木道代　2森鈴江　3三好久美　4小野正吉　5久野信　6沼野悟郎　7木下厚美
8黒永玲子　9吉田澄子　10新庄英子　11永野京子　12高木守夫　13清水俊也

「シラクス党」十三人の出発である。シラクスは舞台となった都市の名。小学校最後のお別れ会の上演はうまくいった。二回目の老人ホーム慰問の後、党員たちは池の畔で憩う。その場面では十二台の自転車が出てくる。一人仲間が減っているのはこの春休みのうちに熊本に引っ越していった道代の親友ケロ子（森鈴江）がいないからだ。この場で大沢先生が道代の父の求刑について話をし、この問題をみんなで学習しようと提案する。しかし劇が好きで集まった党員たちの中にはそれに反発する子どもも出てくる。結局次の日曜日の学習に集まったのは次のわずか七人（1道代　3久美　4正吉　5信　6悟郎　9澄子　13俊也）であった。

二つめの劇「判決まで」は道代たちが中学校入学後、懲役一年の求刑を受けた道代の父のための署名集めの手段として計画された。そこに集うたのは今までのメンバーと、戻ってきてくれた7厚美と12守夫、そして別の小学校から入学してきた新しい友人、遠山修と増田敬太。ところが校長がこの劇の上演を許可しない。会場も貸さない。理由は中学生は政治活動禁止であり、校長は「中立」であるからだ、ということであった。そして劇団員の名前を教頭にメモさせようとしたことにみんなは動揺する。

翌日の練習に7厚美　12守夫　13俊也が来ず、さらに9澄子も不参加となる。

それでも新しく森山進、山根寿の二人が参加してきた。「友情と信頼」の物語であったはずの「走れメロス」に集った仲間たちは事実上空中分解してしまった。しかし新たな友情も芽生えてくるのであった。道代たちは、多くのことを学ぶこととなる。

○それぞれの子どもたち

松下はシラクス党の一人一人を簡潔ながらも特徴的に描いている。ただひとつ類型的に感じるのは、二人の登場人物を姿、形、性格など対照的に人物造形するのが多いということだ。このことは松下の他の児童小説にも散見する。

道代とケロ子、守夫と俊也、ケロ子と正坊、修と敬太、修と正吉、また大沢先生と小山さんなど。例えば次のように書かれる。

ノッポの修とデブの正吉がむかい合っている光景が、なんとなくユーモラスだ。
（第三章　妨害）

太って低目の道代とは対照的に、痩せて背の高いケロ子は、……
（第一章　落椿）

このような書き方は児童小説として子どもたちにも映像化しやすく確かにわかりやすい。それだけでなく誰でもそれぞれ身体的でも、心情的でも特徴的なものを持っているのであり、それがその人のよさを証明する特長となっている。それぞれの得意なものを出し個性を発揮してひとつの大きな集団を作り上げればきっとよい社会ができるだろうという考えがあると思われる。なお、このように登場人物を対照的なものとするのは多くの童話や民話の世界の常套手段ともなっている。

さてシラクス党のメンバーはこの短い期間に入ったり出たりのめまぐるしい変遷をする。そこには子どもたち個人の思いもさることながらその方向に踏み出さざるを得ない大人の論理の犠牲になっている姿もよく描かれている。一旦戻ってきた厚美がまたあっというまに姿を消すのは実際の学校生活の中でも彼女らの胸を痛めさせる出来事である。メンバーが脱退せざるを得ないような状況に追い込む周りの大人、社会、世間というものの強固さに道代ならずともたじろぐほどだ。そんな息苦しい日々を生徒たちも懸命に生きているのだろう。それも小学校から中学校に上がったばかりの十三歳の子どもたちなのである。

私は、家庭の事情で熊本に引っ越したケロ子（彼女は病気で一年間休学し、学年は一つ上である）や、乱暴者であるといわれている悟郎（彼の兄は刑務所に入っている）や、「梶原玲子」の名を貫った黒永玲子たちの心の内やその後の生き方をこの小説の中で観てみたいという強い気持ちを持った。この『あしたの海』はここからさらに幾通りにも発展する可能性を秘めた、大きな物語の源泉という気がする。

○成長小説としての期待

この小説の中で反公害について書かれている箇所はおおよそ以下の通りである。

①小山が中津城で道代たちに説明する場面　102〜113ページ　計12ページ
②小山たちの作成したスライド　113〜121ページ　計9ページ
③スライド上映後の小山の話　121〜137ページ　計17ページ
④裁判劇　214〜254ページ　計41ページ
総計79ページ

総ページ280ページのおよそ四分の一強にも及ぶページ数を割いて反公害のことを熱く語っている。この反対運動のことをたとえば半分くらいの分量にしてみたらどうだろう。反公害のテーマであると松下が書いたこれらの部分を思い切ってある分量隅に追いやっても（松下は途方もないことと非難するだろうが）そこには類い希な成長小説が残っていると私は考える。こうすれば一人一人の子どもたちの心と体の動きをさらに克明に書いていくことが可能となり、思春期の子どもたちの少しずつ少しずつ大人になっていく微妙な変化も書きつづれたと思う。

○松下児童文学の集大成

私は松下の第一作『5000匹のホタル』から、『ケンとカンともうひとり』『まけるな六平』、そしてこの『あしたの海』までの四作品を読んできた。そして松下の児童文学のある意味、頂点に立つのがこの『あしたの海』であると確信している。ここまでの作品には「創作」の児童小説を（ノンフィクションを凌駕する）作り上げるために作品構成や人物造形に苦心して一つの作品の中に一つの世界を構築する取り組みがあった。この後に松下が書いていく児童文学作品四作はいずれもノンフィクション、あるいはその傾向の強い作品として仕上がっている。もちろん私はどちらがよく、どちらが悪いという視点を持つ者ではない。松下は孤高の優れたノンフィクション作家であるということは間違いのないことであるのだから。それでも私はその第一作の『5000匹のホタル』に出会った鮮烈な印象を忘れることはできない。この作品も実際の出来事に取材を重ね作り上げたものだが、そこには松下の「創作」への力強い意欲が感じ取れる。（さらに言うなら、自分は児童文学作家、童話作家になるのだという意思がひしひしと伝わってくる。）そしてその思いはこの『あしたの海』でひとつの完成を見たのではないかと思う。

さて、『あしたの海』のスライドの場面で公害に苦しむ川崎の光景を挙げ、主人公道代を小児ぜんそくと設定し、最後の「空のどこかに虹がかかっていそうな気がしたのだ。」という道代の思いでこの小説を締めくくったことは、後に松下が書く川崎ぜんそく公害訴訟のドキュメント『いつか虹をあおぎたい』につながっていることも述べておきたい。

また『草の根通信』第87号（一九八〇年二月五日発行）に掲載されている座談会の記録「中学

生たちはこう考える」では、この本を読んだ中学生たちがさまざまな意見を述べており、興味深い。一読をすすめる。

○松下からのメッセージ

松下は「もはや、どうすればいいかわからない大人からのメッセージ――あとがきにかえて」の最後の部分で次のように訴える。「いまさら大人に訴えても、なんにもなりはしない。結局、大人はそんなに賢くないのだと（自分自身も含めて）絶望的な確認をした上で」「途方に暮れた大人の一人として、せめても君たちに夢を託するしかない。」そして次のように続ける。「君たちよ、真の意味で賢くあってほしい。この地上に、いとしいいのちの流れを伝えていくためには、これからどんな生き方が残されているのか、そのことを一日も早く考え始めてほしい。本当に、祈るような気持で、私はこのメッセージ（作品）を書いた。」

この作品だけでなく、松下の書いた全ての児童文学作品には、その根底に松下のこのメッセージが滔々と流れている。

❺『海を守るたたかい』筑摩書房（ちくま少年図書館54 社会の本）一九八一年三月十日　第一刷　小学生・中学生向け　さし絵・畑農照雄　259ページ　一二〇〇円

○著作自解

〈ちくま少年図書館〉の一冊として、環境権裁判を題材にして中学生たちに裁判のしくみや環境権の考え方を伝えようとして書いた。

○松下竜一著作目録（刊行順）筑摩書房・一九八一年刊／一二〇〇円

豊前環境権裁判を中・高生向けに書いた「ちくま少年図書館」の一冊

・カバー裏には次の文章がある。

「アハハハ……敗けた、敗けた」？　1979年8月、福岡地方裁判所に突如下がった一枚のたれ幕。そこには「アハハハ……敗けた、敗けた」と書かれていた。海を守るために火力発電所建設に反対し、弁護士なしのしろうと裁判に取り組んだおっちょこちょい七人の、六年にわたる、なにやらおかしくて真剣な物語。

この「ちくま少年図書館」シリーズは「ほんとの知恵、ほんとの勇気を育ててくれる、すばらしい本!」「ふしぎなこと、すてきなこと、感動的なこと、すべて事実にもとづいた本!」「あなたを、新しい世界にさそいこむ。二度も三度もくり返し読みたくなる本!」「たくましさ、やさしさ、まじめさ、読み終えたあと、わたしたちを変える本!」(同書の惹句)と銘打っている。子どもたちにこの世界、この社会をわかりやすく楽しく、しかもじっくり学んでほしいという編集者の強い意気込みが感じられる。

『海を守るたたかい』の内容は「自解」などで述べている通りだが、松下はこの豊前火力発電所建設反対運動・環境権確立の戦いの一部始終を、それこそ事細かく克明に記録して、本人自らが「書きも書いたり」(『図録松下竜一その仕事』)と述べているように、『暗闇の思想を』・『五分の虫、一寸の魂』・『明神の小さな海岸にて』・『豊前環境権裁判』(日本評論社　一九八〇年)と多くの関連著書を発表している。そしてこの『海を守るたたかい』や前に解説した『あしたの海』という児童向けの本も、大人向けの作品とその中身の骨子は何ら変わるものではない。

松下がこのような少年少女向けの作品を書いたのは子どもたちに対する強い期待があったからに違いない。この広い世界のあちこちで今何が起こっているのかを子どもたちの純粋な無垢な目で見て感じてほしいという松下の強い願いが込められていよう。この作品を読んで興味を持った若い人たちは、松下の大人向けの作品もぜひ読んでほしいと思う。

「中学生たち」「中・高生向け」そして、この作品の表紙には「小学生・中学生向け」と書かれており、実際に本文の中では「小学高学年以上の読者になら、十分わかってもらえるのではなかろうか。」と述べている。彼らの、大人にはない柔軟な思考と正義に対する純粋な憧れがきっとこの世を救ってくれるはずだ。松下の書いた全ての児童文学はその思いから書かれたといっても過言ではない。

さて子どもたちに向けて書くに当たって松下は「それなりの表現工夫もこらした」と記す。その工夫の最も顕著なものを一、二点だけ挙げておくと、まず作者松下が目の前にいる一人の若い読者に対して「君」と語りかける形式にして、話を進めていることだろう。これはもうひとつの松下の児童向けノンフィクション『どろんこサブウ』でも採用した方法である。裁判や環境権のことについて書いた内容が難解であるのは致し方ないが、それでもわかりやすくわかりやすくという配慮が働いている。そしてそのことに関連して、大人向けの本の場合すっと流すところを、たとえば「環境権とは」「立証とは」「現地検証とは」「原告とは」「提訴とは」など、ひとつひとつ立ち止まってその意味を平易に解説していく。作者としてはいちいちまどろっこしいと感じることもあっただろうが、松下は実にまじめにゆっくり説明を加えていく。

「立証責任が原告側にあるというのは、裁判の基本原則だからだ。」と述べる場面では、「たとえば、君が身におぼえのない罪で逮捕され刑事裁判の被告とされたと仮定する。」として、自分の身に即して考えることを促し、わかりやすい説明に徹していこうとする。

松下は目の前の一人の読者に語りかける文体を採ったが、ただこの作品のあちらこちらには「読者」という呼びかけの言葉もあり、より多くの人たちの姿を感じ取りながら筆を進めようとする姿勢も残しておきたかったのだろう。私としては全て「君」という呼びかけで統一した方がよりはっきりとしたメッセージを伝えられたのではないかと、今もそう感じている。ちなみにこの作品の中で「読者」と呼びかけている箇所は12、「君」は28である。

もう一点。主人公を「松下センセ」という人物に設定していることが挙げられる。この点については『アハハハ……敗けた、敗けた』──まえがきとして」で松下は次のように説明している。

わたしは、ときどき自分の文章に、松下センセなる人物を登場させる。(中略)表現というものは不思議なもので、「わたし」と書くところを「松下センセ」という三人称的な表現に変えてしまうだけで、とても書きやすいことがあるものだ。どんなに深刻なことでも、どんなに惨めなことでも、どんなにはずかしいことでも、松下センセを主人公にして書けば、ある余裕をもって書けるというわけなのだ。

「松下センセ」は「ずいひつ」に登場する。真面目で真剣に物事を考え行動する、が、何となくひょうきんで、おもしろおかしく感じられる。そんな人物を小・中学生向けの作品に登場させ、これから語る裁判劇をどうにかして子どもたちにも取りかかりやすく、興味を持ってもらえるようにと配慮した、そんな意図があるのだろう。松下たちの反対運動は実に真面目で、主張していることも至極当然のことである。ただそれゆえに稚戯にも等しい、社会を知らぬ理想論だと批判もされた。ここで松下は子どもたちにその判断を委ねたいのだ。松下センセの一挙手一投足に注目してほしい、と。

この作品には松下が編集している反対運動の機関誌『草の根通信』の記事が八本転載されている。松下だけではなく他の執筆者の記事も適宜引用している。また大人向けの著作『暗闇の思想を』や朝日新聞・西日本新聞の記事からの引用など、多彩な情報を作品の中に取り込もうとしている。また、干潟の浄化能力に関する文章は後に『どろんこサブウ』の中にそのままの形で踏襲されていくし、娘の誕生を記す部分は『ケンとカンともうひとり』の中で松下が以前書いてきたものである。自分の内にあるあふれんばかりの思いをひとつひとつ適所に当てはめていこうと松下は深くおもんぱかる。

ここで『草の根通信』からの引用を一例紹介する。

松下は宮沢賢治の「雨ニモマケズ」をもとに、裁判というもののつまらなさを嘆いて次のように書く。（文中、松下は「雨ニモ負ケズ」と表記しているが、正しくは「雨ニモマケズ」）

北ニケンカヤソショウガアレバ
ツマラナイカラヤメロトイイ

訴訟とはつまらぬものである。

環境権裁判まる四年を経過して、しみじみそう思う。だがいまや、そのつまらぬ訴訟にも力をつくさねばならぬというのが、この国のありさまではないか。

宮沢賢治という人は、さいわいにも公害という現代の醜悪を見ずに亡くなったが、もしいまに存在すれば、それこそおのれを捨ててオロオロと病者に寄りそうて行ったにちがいなく、つまらぬソショウにも加担していったであろうと思われる。

（『草の根通信』第62号　一九七八年一月五日発行）


宮沢賢治については後の章で、「宮沢賢治体験」と題して、この文章も含め、詳しく触れることにする。


さて、この作品は一九七三年八月二十一日に始まり、一九七九年八月三十一日に完全敗訴で終わった松下らの豊前火力発電所建設差し止め（後に豊前環境権裁判と呼ばれる）を巡る記録である。先にも述べたように、松下はこの裁判に関して硬軟いくつもの著作をものしており、それらを参照して貰うことでこの裁判の全体像も細部にわたる人間像もくっきりと見えてくるだろう。具体的な裁判の中身に関してはこれらの本に譲ってこの解説では詳しくは述べない。

この裁判を題材にして松下は二冊の児童向けの作品を書いている。一冊はこの『海を守るたたかい』であり、もう一冊は『あしたの海』である。『海を守るたたかい』はノンフィクションであり、後者は小説の体裁を採っている。
ここで『海を守るたたかい』の中からいくつか重要な点を取り上げて考えておきたい。

○〈81年上半期の収穫〉

『草の根通信』(第104号　一九八一年七月五日発行)の「ろくおんばん」に梶原得三郎が文章を書いている。「週刊朝日の書評同人による座談会で、彼の『海を守るたたかい』(筑摩書房)が〈81年上半期の収穫〉にあげられている。」という内容である。梶原はその書評同人子の言葉を引用している。

〈環境問題とか、汚染問題について、いまから十年ぐらい前にたくさん本が出たんだけど、その後ずっと下火になってほとんど出なかった。それが、この一、二年非常にいい本が出始めて、そういうものの一つに松下竜一の『海を守るたたかい』がある。豊前火力発電所の環境斗争をやって負けた話だけど、非常におもしろい〉

十年ぐらい前は反公害に関する書物が数多く出版されていたのに、その後ずっと下火になっている、という指摘は重いものだと思った。

松下が豊前火力発電所建設反対の裁判〈環境権裁判〉に打って出るのは一九七三年夏のことで、敗訴の判決は一九七九年夏、丸六年後であった。『海を守るたたかい』の中で解説しているように、この「門前ばらい判決」は結局、「この裁判はそもそも成り立たないもの」「あなたがたには、はじめからこの裁判をうったえる資格はなかった」と裁判所が判断した結果であると松下は考える。それならなぜ「六年前の提訴のときにことわ」らなかったのか。それは「一九七三年時点の、反公害世論のもりあがり」であったと考える。有名な四大公害裁判の第一審判決は一九七一年から七三年にかけて出ており、いずれも原告勝訴となっている。世の中は反公害の世論で充ち満ちていた状況だったのだろう。

しかし松下が裁判を継続していた「この六年間の時代の流れを見すごせない。」今や、反公害の世論は冷えきり、「多少の環境破壊もやむをえないという声が、世論の底流となってきている。」時代や世間の動向こそがこの「門前ばらい判決」に大きな影響を与えたのだと松下は思うのだ。

出版も時代の流れ、世の動きに敏であり、環境・汚染問題の書物が下火になったという状況の中、松下のこの本は下火の熾の中でしぶとくくすぶり続け、未来をも照らす一つの灯りとなっていると私は真からそう思う。さらにこの問題に関する本を子どもたち向けに出版したということは、浮薄な世の中というものを考える一つの貴重な体験ができるものとして子どもたちの前に提示されているのではないか。

○やさしさということ

「豊前海海戦」で同志三名が逮捕された。松下ら反対派の心中はいかばかりだったであろう。松下は「しきりに思いつめていた。」

「それは、やさしさがやさしさのままで強さにならないだろうかという願いである。（中略）むしろ、心のやさしさに徹しぬくことで、ついには強さに至れないかという、せつない願望なのだ。

（中略）松下センセにはそんなことが可能のように思われてくるのだ。真のやさしさは、結局、強さとなるのかもしれない。そう思うと、彼の胸底からひそかな勇気がわいてくるのだった。」

しかし、「やさしさ」で強大な国、大企業の論理を覆すことはできなかった。松下らの戦いがあっけなく門前払いで終了させられたのも圧倒的な権力を持つ被告側に全く太刀打ちできなかったからだ。やさしさで世を変えることはできない、それが非情な事実であるように思われる、が本当にそうなのか。

松下はこの言葉に徹底的にこだわる。なぜならこのやさしさは単なる言葉づらだけの皮相の「優しさ」などではなくて、松下がこの世に生まれ出たその時からの彼の宿命として身に刻んできた生き方であったからだ。生後すぐに大病で松下の人生は大きく限定される。それでもこの世に生まれ父と母のそれぞれの「やさしさ」を受けて松下は成長してきた。（この父母のやさしさについては後の章で詳しく述べることとする。）

生まれながらにして松下はやさしさを持つことでしか生きることができなかった。それを社会の変革に資するものとして彼は最も大切にして生きてきた。

○子どもたちへの期待

松下は「もうやめようといった私――あとがきとして」に次のように言う。

私は、この本を読みとおしてくれた君に、なによりも敬意を表したいと思う。

ぜひ、これだけは伝えたいという願いで、それなりの表現工夫もこらしたつもりだが、それでもむつかしいところがあったかもしれない。よくぞ、読みとおしてくれたものと思う。

そのかわり、君はいきなり本質をつかむことができたのだ。

この国の裁判の最先端をつっ走った環境権裁判の一部始終を読みとおしたことによって、それこそ君は、不勉強な法学者以上に、この国の裁判が直面している問題の本質を知ることになったと思う。

それだけじゃない、もっと本質的なことに君の眼はむいていったはずだ。公害とは何なのか、環境とは何なのか、真にしあわせな生き方とは――ひいては、これから人類が生きのびていくには、どんな選択をしなければならぬのかということまで、君は考えはじめるだろうと思う。

敬意を表したいというのは、そういう意味においてだ。

長い引用になってしまった。松下が念を押すこの「本質」という言葉に注意を払っておきたい。今、子どもたちが生きているこの国とはいったい何なのか、よくよく考え直す時ではないのか、という指摘である。公害のことを述べた箇所で「受忍限度論」について説明している。「被害者である住民の苦しみと、加害者である企業の社会的有用性を、同じハカリにかけてどちらにかたむくかを見て裁こうという考え方」と定義する。「軽い被害者」数十人には我慢してもらい、いや四日市、水俣の公害で「あれほどにおびただしい死者」がいるのにまだ企業は操業している現状がある。そして、次のようにまとめる。「そんなばかな。人命とは、そんなに軽いものなのかと、君はあぜんとしたのではなかろうか。だが、これがこの国の実態なのだ。こういうおそるべき考え方が、この国を世界一の公害列島にしてしまったのだ。」

この国とは一体何なのか、この国の実態はどうなっているのか、そのことをこの国に住み、そして未来のこの国に責任を持たねばならぬ青少年たちに、しっかり眼を見開いて見ていてほしいという強い願いなのである。「本質」をつかんでほしいのだ。

もちろんこの著作は一九八〇年代のものだが、それから四〇年経過したこの国は、そんな話は過去のことであり、今はそんな時代ではないと胸を張っていえる日本になっているのだろうか。姿を変え形を変え、より巧妙に負の状況を隠蔽し続けているのが現状なのかもしれない。ものの実態をしっかり見通す澄んだ目が今まで以上に必要とされている。

松下のこの作品は古びることはない。

❻『いつか虹をあおぎたい』フレーベル館
(遠藤豊吉責任編集「小学生向けドキュメンタリーシリーズ
いま、子どもたちは」全十巻の第一巻目)
一九八三年三月第一刷　装画・下嶋哲朗
185ページ　九八〇円

○著作自解
「子らに青い空を返せ」という大きな見出しで報じられた川崎公害訴訟。大気汚染に苦しむ実在の少年に取材して書いた〈中学生向けドキュメンタリーシリーズ〉の一冊。
○松下竜一著作目録（刊行順）　フレーベル館・一九八三年刊／九八〇円
公害の町川崎でぜんそくに苦しむ兄弟を中心に告発のノンフィクション。
小学生上級以上
・巻末に「小学生向けドキュメンタリーシリーズ」の広告が載っている。そこに以下のような解説がある。ただしこの文章は松下が執筆したのか、編集者が執筆したのかは不明である。参考までに挙げておく。
煤煙にけむる工業地帯の一隅で小児ゼンソクに蝕ばまれていく子どもたち。その少年の弟も小児ゼンソクで死んだ。母は闘う。少年は青空に輝く虹を見たいと願う。

松下が「著作自解」の中で〈中学生向けドキュメンタリーシリーズ〉と書いているのは〈小学生向け〉の間違いである。その対象とする子どもたちを「著作目録」で「小学生上級以上」の児童たち、そして『小さな手の哀しみ』の中では「小学生、中学生が対象である」と児童・

生徒両方と書いているが、これが実は本音であろうと思う。またこの作品の広告が残っている。（『草の根通信』第125号　一九八三年四月五日発行にそのコピーを掲載。）その中では「小学校中高学年向」と書かれ、作品の中には公害や裁判に関するやや専門的な解説がふんだんに盛り込まれており、その理解度も含めて松下自身、小学生上級から（できれば中学年も含んで）中学生の子どもたちに苦労しながらも読んでほしいと思ったのだろう。（松下は自作の児童向け作品も、「大人にも読んでほしい」と願っていることも合わせて考えておきたい。）

またこの作品は「ドキュメンタリー」「ノンフィクション」のジャンルに属すると思われるだろうが、『ウドンゲの花』の中では「来春刊行の児童小説の題を『いつか虹をあおぎたい』と決める。」とはっきりと書く。先ほどの広告では「ドキュメンタリー小説」と銘打つ。松下の執筆の態度として、実際の取材に作者の「作為」を加えて作品化するということは多々あり、この作品も後に述べる構成の問題も含めて松下の心中では限りなく「小説」（フィクション）に近い「ドキュメンタリー」「ノンフィクション」であると考えていたと思われる。

またこの『ウドンゲの花』の中にはこの作品の題名についての言及もある。

裁判をアピールするビラの中の、老人の言葉が私の心に突き刺さっている。スモッグにおおわれた川崎の空には虹が顕たないというのだ。もう一度、昔のような虹の空を仰ぎたいという老人の願いを読んでいて、では喘息発作で死んでいった弟は、たぶん虹というものを知らなかったのだと思いあたった。それは痛ましい想像であった。

この「痛ましい想像」が、松下を突き動かしこの作品を書かせた。松下は以前から「虹の本部」を立ち上げ、エッセイの中で虹を見る幸福について繰り返し繰り返し書いていることも考え合わせたい。松下にとって「虹」は美しい、清らかな大気の象徴である。

さて、この作品は「わたし」（作者である松下）が新聞で報じられていた川崎公害訴訟の記事を読み、119人の原告の一人信田菊子の二人の息子たち（宏と清の兄弟。弟の清は公害喘息病で死んでいる）のことを知り、本にしたいと菊子にその旨の手紙を書くことから始まる。「わたし」は「子らに青い空を返せ」の新聞の見出しにショックを受け、公害喘息で苦しむ兄の宏に取材し少年の実態を告発しようとする。

松下が実際に目にした新聞は「毎日新聞」一九八二（昭和57）年三月十八日の夕刊である。その一面の見出しを挙げると、「大気汚染物質の排出差し止め」「川崎の公害病患者ら提訴」「企業、国など相手に」「総額24億円の賠償請求」であるが、松下が大きなショックを受けたのは14面の記事の方であった。ここも見出しを挙げると「子らのため青い空返せ」「二男奪われた母、悲痛な訴え」「長男も激しい発作」「遺影胸に『これが私の務め……』」、そして「きれいな空をなぜ汚した。まだ公害は終わっていない。せめて子供たちのために、青い空を、澄んだ空気を返して」と続く。松下はこの「青い空を、澄んだ空気を返して」の箇所を作品にそのまま引用する。（松下は大見出しに「子らに青い空返せ」とあると作品に書くが、実際の記事は「子らのため青い空返せ」

であった。)

この14面の記事は松下の心を強く揺さぶり、このまま座してはいけない、行動を取るべきだと即断することになる。松下はその時、出版社から依頼された少年野球チームの本を書き始めていた。この本は中止して公害で苦しむ少年の本を書こうと決心する。それほどの衝撃だったのだ。なお、この記事には母、子どもたちの名前が本名で出てくるが、作品の中では仮名にしている。


死んだ弟のことを忘れようと努力して生きている宏は母が裁判に訴えることにも反発し、固く自分の殻に閉じこもり作者の取材にも応じようとしない。この宏の心の葛藤とそれでも書かねばならぬ作家の気魄が痛ましいまでに伝わってくる。一人の少年と彼を取り巻く回りの大人たちの真剣な言葉・態度・行動、……宏はだんだんと心を開き、強い人間になろうと決心する。

○よりよき未来のために
この裁判のことを本に書こうとして、宏に話を聞きたいと手紙で申し出る場面(14章段)で、「わたし」は二つの理由を挙げる。

一つは、公害病ぜんそくで一番苦しんでいる当人の訴えこそが一番説得力を持つから。被害者当人が訴えなければ公害は無くならないから。

二つは、死んだ弟清のことを二年半にわたって家の中で話題にしないのは不自然であるから。

自分で二年半の禁を破ることで「未来が拓けてくる」から。

「未来が拓けてくる」から、とは、実は「わたし」がこの本の中で直接そう書いているものではない。しかし、子どもたちによりよい未来を残すことに一生をかけた松下は一つの干潟の埋め立てを阻止するために「無謀」な裁判に打って出た。宏が「海岸が埋め立てられることに、こんなにもしんけんに反対した大人がいた」とびっくりするように、その「しんけん」な一人の大人の責任として松下は行動した。そしてその裁判の最中も、そして結審して負けの判断が下されたときも、松下にとっての希望はもう子どもたちしかいないのではないか、と深く考えていたに違いない。その現れが松下の児童文学としての訴えであろう。よりよき未来のために、作者は子どもたちに託したのである。現実に抗していく強い意思を持ってくれることを。未来を拓いていこうとすることを。そしてこの本を読む多くの子どもたちがそのことに勇気を与えられることも。

○成長するということ

宏は弟の死から立ち直ることができずにいつも鬱々とした日々を過ごしていたに違いない。父から弱虫と言われ、だんだんと自分の心に目を向けていく、その直接の契機となったのはやはり「わたし」からの接触によるものだろう。拒絶の姿勢が徐々に弛んでいくのが、この小説の一筋の流れである。

宏が「わたし」の書いた小説（『あしたの海』）を読み、同じ子どもである道代が、父が逮捕されたつらい身にもかかわらず懸命に生きている姿を見て、自分を振り返るきっかけにもなったのだろう。さらに宏はみんなの前で自作の作文の朗読をする。そういういくつもの「事件」が続き、宏の心の中に弟のことを話してみようとする気持ちが生まれてくる。そこにはやはり回りの大人たちの呼びかけと援助、そしてさらに家族のいたわりと優しさがあったことは忘れるべきではないだろう。この小説は一人の小学生の心の成長を辿った小説ということもできる。

○「男」の物語

永井先生は宏に集会の場で作文を朗読してほしいと依頼する。宏に任せるという母の声に、永井先生は「じゃあ、ぼくとヒロ君と、男と男の話としてきめようじゃないか。」と言う。集会の後永井先生は、「おい、ヒロ君。おまえもこれで男になったな」と声をかける。松下の小説やエッセイの中には兄弟の強い絆のことが様々に触れられている。母が若くして死に、姉が嫁ぎ、残された老父と五人の弟たちとでがむしゃらに懸命に生きてきたという思いが松下には強いのだろう。

このような家庭環境、そしてこのような時代であった、と見ることはたやすいが、現代の感覚からは随分ずれている考えでもある。

○専門的なことがら

・わが国の公害の歴史　17～21ページ

・一九七九（昭和54）年の公害のようす　58～63ページ
・せんもんてきなぜんそくの話　83～87ページ
・裁判のしくみ　92～94ページ
・川崎市の「公害副読本」161～166ページ

児童向けの作品の中にこのような専門的な事柄をしっかり書き込んでいる。当時の現実の「記録」を後世に残そうとする強い意思と将来の子どもたちに期待する真剣な想いが現れている作品といえる。それは『海を守るたたかい』でもそうだったし、ひいては松下の全ての児童文学に共通する「誠意」であると私は考えている。

関川夏夫は、次のように書いている。「文学には日本近現代史そのときどきの最先端が表現されている。文学は個人的表現である。と同時に、時代精神の誠実な証言であり必死の記録である。つまり資料である。」（『本よみの虫干し』岩波新書）

関川のこの文章は、松下の文学について述べたものではないが、「時代精神の誠実な証言」「必死の記録」という箇所はそのまま松下の全仕事に共通すると言ってもよい。

○「はじめに」の問題

松下は「はじめに」で次のように述べている。

この本の書きかたは、ちょっとかわっています。1から33までの番号で話がならんでいるのですが、この本の主人公である宏君の立場で書かれた文章と、この本の作者であるわたしの立場で書いた文章が、ずっと、こうごにならんでいるのです。つまり、1、3、5、7、9……が宏君の立場。2、4、6、8、10……が作者の立場というならびかたです。

ところがこの作品を読み進めていくと途中からこのきまりがずれていることに気づくだろう。22まではその通りなのだが、23から微妙にずれていく。23の内容について松下は「以下は、宏君の話しことばを、わたしが宏君の文章といったかたちにまとめかえたものです。なぜそうしたかといいますと、宏君の話しぶりが、とてもとぎれがちで……ぽつりぽつりと、苦しみをはきだすみたいなので、そのままではつたえにくいと思ったのです。」と断って、それでも一応は宏君の発言といった形式にしている。次の24ではその宏の言葉を「ひきつい」でお母さんが後を話すという形式になっている。(途中に宏君の言葉も挿入して。)それを受け、25は「わたし」の立場での段になるのだが、また途中でお母さんが24の続きを語る。すなわち23・24・25は一続きの場面であり、ここここそがこの作品の核心となっている、ということがわかるのだ。

「わたし」の取材を頑なに固辞していた宏がやっとその重い口を開き、わずか六歳で死んだ弟清のことを話す箇所。また幼い息子を失った母親の苦悩が痛いほどに吐露されている。

このように場面が大きく展開する中で、「わたし」は迷いもなく「はじめに」のきまりを反故にした。

●宏（ぼく）　1　3　5　7　9　11　13　15　17　19　21　23　24　26　28　31　33章段
●作者（わたし）　2　4　6　8　10　12　14　16　18　20　22　25　27　29　30　32章段
※傍線部は破綻が生じている箇所

このような破綻は意識的である。ここには意図的なものが込められていよう。それでもただ、対象としている読者である子どもたちにとってはなかなか理解しにくかろうとも作者も考えはしたのだろうが。25でどうしても「言葉足らず」の宏の不十分な内容を補う形でのお母さんの発言が必要であった。ただ単に「わたし」と宏の二人だけの話の展開という構成では不十分さが否めない、お母さんの生の声をここに盛り込みたい、と松下は考えた。いくらかの齟齬が生じることもいとわずに。「まえがき」をしっかり頭に入れて読んでいる子どもたちが、この辺りで少し読み進めるのに躊躇したり、ちょっと躓いたりする箇所となって一旦読むことを中断するかもしれぬ。このあたりの渋滞をひょっとして松下は期待したのかもしれない。すっとさっと読み通すのではなく、つっかえとどまり、そこで足を止め、考えを止めてみる時間の必要性を感じたのかもしれない。

松下が「はじめに」の最後で「読み終わったときには、どうして作者が、そんなかわった書きかたをしなければならなかったかを、きっとわかってもらえると信じています。」と書いたことも合わせて、これからこの作品にふれる子どもたちにもそのあたりを考えて読んでいってほしいと思う。

このような書き方をとることによって、切実な心情の吐露、臨場感が生まれた。宏の心に寄り添いたい作者の強い気持ち、そして、それぞれの「ふたつ」の物語が（お母さんの痛切な会話も巻き込んで）だんだん「ひとつ」になっていく過程こそを読み取るべきだろう。

最後に小さなことだが、18の「わたし」の立場で書かれている章段に「ぼく」と書き誤っている箇所が一つある。（92ページ・5行）宏の立場で書く時に宏が「ぼく」と自称するきまりで進んでいる中で、ここは当然「わたし」となる場面である。

また、第一回の法廷が七月一日に開廷されるとあるが（94ページ・9行）これは七月八日の間違いである。97・111ページには八日とある。

○川崎公害裁判のゆくえ

一九八二年三月十八日
　川崎公害裁判第一次提訴（原告119人）
　※以後八三～八八年にかけて第二次から第四次提訴続く。原告数は440人に達した。
一九九四年一月二十五日
　川崎公害裁判第一次訴訟一審判決。被告企業12社に損害賠償を命じるも、国・道路公団への損害賠償請求は棄却。
一九九六年十二月二十五日
　川崎大気汚染訴訟で原告団と被告企業との和解成立。企業側が謝罪し、解決金31億円を支払う。
一九九八年八月五日
　川崎公害裁判第二次～第四次訴訟一審判決（横浜地裁）。自動車排ガスの健康影響、道路公害の瑕疵を認め、国・道路公団に原告48人への損害賠償を命じる。差止め請求は棄却。
一九九九年五月二十日
　※川崎公害裁判原告団は、国・首都高速道路公社との間で裁判所の和解に応じた。

　以上は「戦後日本公害史略年表」（宮本憲一『戦後日本公害史論』岩波書店　二〇一四年）によった。※印の箇所は宮本憲一の本文などで補った。

❼『小さなさかな屋奮戦記』筑摩書房（ちくまプリマーブックス33）
一九八九年十月二十五日　第一刷　中学生から
装画、カット・津田櫓冬（つだ・ろとう）
223ページ　九八〇円

○著作自解

親友梶原得三郎と和嘉子夫妻がいとなむ小さなさかな屋を舞台に、そこに出入りする人々を描いた市井の物語。「母の友」に連載したものが「ちくまプリマーブックス」の一冊に納められた。

「ちくまプリマーブックス」のシリーズは、「新しい自分と出会う本——十代におくる書きおろしシリーズ」と銘打っている。

この作品のように、雑誌に小さな話を連載し、それを一冊の本としたものは松下の児童向けの本の中ではこれ一冊だけである。「あとがき」の中で述べているように、まず月刊誌『母の友』（福音館書店）の一九八七年四月号〜一九八九年三月号に24回連載したものを一部人名や語句などを書き直し、後に新しく一編を加え一冊にまとめたものである。「あとがき」では次のように書く。

本書の連作は、（中略）第一話の冒頭にあるように、書くことに窮した作者が彼の店を舞台に選んだというのが正直なところである。ただ、〝小さなさかな屋〟をめぐる人々の暮らしのなつかしさを、毎月一話ずつ掬いあげていけたらという作者の願いは真剣であった。いちおう小説の体裁なので登場人物はすべて仮名としてあるが、それぞれにモデルがあり、ストーリーも限りなくノンフィクションに近い。つまり、きちんとした取材によって書かれたということだ。

またこの作品を「ノンフィクション的作品」（「ずいひつ 夜のレストランにて」『草の根通信』第178号 一九八七年九月五日発行）と言ったり、「ほぼノンフィクションに近いフィクション」（「ずいひつ 奮闘記だって?☆」『草の根通信』第203号　一九八九年十月五日発行）と言ったりする。

○小さなさかな屋

車庫を改造しただけの小さなさかな屋に集う、作者も含めた人間模様を優しく、時に厳しくつづっていく。このさかな屋自体が磁場となり、そこに吸い寄せられるように、ひとりまたひとりと市井の民が集まってくる。さかな屋の主人梶山得二（梶原得三郎）は松下の多くの記録文学、エッセイなどにたびたび登場する。また児童文学の中にも第二作の『ケンとカンともうひとり』には海の埋め立てに反対する同志としてさりげなく出てくるし、第四作『あしたの海』・

第五作『海を守るたたかい』では彼の逮捕が大きな事件として物語が進行する。

逮捕され職を失った彼がさかなの行商から始めて念願のさかな屋開店にこぎつけたところからこの作品は始まる。一九八二年七月のことである。

雑誌の連載に合わせて24話、そして追加の1話、計25の短い話で形成されているこの小説はむろんさかな屋主人の梶山夫妻が主人公となるはずのものである。梶山のあまりにも真面目過ぎ、誠実過ぎる人柄が、種々の「問題」を起こし小さなさかな屋にはいつもさざ波が立っているかのようである。また彼らを取り巻く隣人たちのおかしく切ない話も書き込むことによってこの作品は重層的なものになっている。さらに作者松下が間島良一という小説家・活動家として登場し、いくつかの「話」では彼があたかも主人公であるかのように振る舞う姿も見いだせる。ちなみにこの25話の中に(もちろん梶山夫妻は全25話に登場している)間島は13話に登場し、名前だけが出てくるものを合わせると18話になる。間島が出てこない話はわずか7話ということになる。その中でもさかな屋開店の祝い金を巡る話(第六話　信頼)・旧婚旅行の話(第二十一話旧婚旅行)などは極めて間島色の強い挿話となっていて、これらの話は作者自身がそのエッセイなどに何度も大人向けに書いてきた題材でもあり、なじみの深い逸話でもある。

ただ、この作品を書いている間島自身の現出によってもこの梶山夫妻の物語という基本の形にそれほど破綻をきたしていないというのも、あちこちの話の中に姿を見せる「貞あんやん」「春野ゆきえ」「チーちゃん」「光代」「イルカ・ゴーチェの若いカップル」「内山さん」「ヒモゲイトウさん」などの脇役の登場人物の魅力に負うところが多かろう。特に内山さんやヒモゲイトウさんの逸話は優れた短編小説といえる。心温まる情緒あふれる珠玉の一編となっていて松下のエッセイを愛読する読者としてもこれらの作品に触れることの幸せを感じるのだ。間島という人物を棄てたところに生まれたひとつのフィクションの美しさである。

もちろん情緒だけの作品ではなく、梶山のそして間島の社会に対する強い思いも随所に見られる。食は当然のことながら、教育・環境・政治など、よりよい社会を作り上げていこうとする壮大な志を胸に、一つ一つの行為をおろそかにせず、小さなさかな屋の目線で日々懸命に生きていく姿を描くこの作品はたくましく美しい。

この小説が愛惜する佳作になっているのはやはり何と云っても梶山得二とその妻の生きることに懸命な姿が、鮮明に描かれているからだと思う。

二人は、例えば次のような問答をする。

「だからといって、焦ってもしかたがあるまいが。誠意を尽くして商いをして、それでだめならしかたがないじゃないか」

「それでだめならしかたがないって、どんな意味なの」

「おれには誠意のほかには何もないんだから、それでいのちきできんとなれば、もうしかたがないじゃないか」

「だから、しかたないというのがどんな意味なのって聞いてるんじゃない」

二人の間に何度も何度もこんな問答が交わされ続けてきたのだ。得二の答えは、

「生きてられないんなら、死ぬしかないということだ」

この夫の言葉に満智子は愕然とする。そして「自分がこれほどのマンマンさんと一緒に暮らしてきていたのだと、いまさら気づかされた驚きだった。」と考えるのだ。（第八話　諭吉茶屋）

○宝の箱

いさかいの種は尽きず、時には梶山が満智子の頬を激しくたたいたこともあった。ただこの二人にも若い頃の胸ときめく出会いと相手に対する思慕・恋の心も当然あったのであり、そのことが明かされる（第十二話　宝の箱）を読むと現在の生活に汲々としている二人にも淡い、そして真剣な思い出があって、そのことが今の二人の生活を救ってくれているということがわかる。人生のこれからの道筋にも暖かな光の一筋が射しているのだと私は強く思うのだ。

そして互いの思慕、労りの情の、言ってみれば原点ともいえるもの、それが明らかにされるのが、実はまさにこの（第十二話　宝の箱）であり、松下が一冊の本にまとめる際にどうしても追加したかった一章なのである。その時の経緯を松下は次のように述べている。

いうまでもなく、「小さなさかな屋」は得さんとノンノン（和嘉女さん）が主人公であるが、若い人向けシリーズということを考慮して、この二人の〝青春の章〟を書き加えねばなるまいかと、作者としては思案しているところ。そのため、今夜も梶原宅に来て、「やっぱり作品のリアリティを出すために、若き日の二人の〝愛の往復書簡〟を見せてくれないかなあ」と促すのだが、得さんは「そんなの、あるもんか」と、しらばくれて、いっこうに応じてくれない。

「ろくおんばん」(『草の根通信』第196号　一九八九年三月五日発行)

そこで松下は「若き日の得さんになりかわってラブレターを創作して『宝の箱』に登場させたのだ」。(「ずいひつ　タイムスリップした人」『草の根通信』第243号　一九九三年二月五日発行)この「ずいひつ」には約四年の間に二人の間に交わされた文通は、得さん発信が97通、和嘉子さん発信が169通に達すると記している。この手紙・葉書を封印している箱を松下は「宝の箱」と呼んだ。そしてある事情で封印されたままのそれらの往復書簡の入った箱のことに思いをはせるのだ。

この第十二話を読んだ後に(第二十三話　いさかい)を読んでみる。得二が正月そうそうに修理道具一式の入った箱を取り出して手入れを始めたことに満智子はいらだって「そんなことやめてよ」「わたしはいやよ」と大声で叫んでしまう。得二は修理屋を理想の職業と考えていたのだ。「見たくないんなら、どこへでも行け。」という夫から逃げるように満智子はひとりふらりと柳川へ行く。小さな家出である。いつも狭い車庫のさかな屋に二人でそろって仕事をしている窮屈さから逃れるように広々とした場所に一人になること、これは精神的な解放感に満ちあふれた行為であったが、これも満智子にとってはまた元の生活に戻るための一時の休憩である。夫に電話をかけて「柳川のかば焼きもどじょうのせいろ蒸しも味わわずに」満智子はすぐに電車に飛び乗る。

この小さなさかな屋が誕生する迄のこの二人の若い時からの軌跡を暖かく眺めることによって、満智子の得二に対する深い心の底からの愛情の発露も読み取れるのだ。松下が、苦労だらけのさかな屋の生活の中に、若き日の二人の交際をどうしても書き加えておかねばならぬと考えたのは、松下の作家としての優れた着想であり、技量だと思う。

「あとがき」の中に「この一冊が〈ともに生き合った〉ことのなつかしい記録となっていくだろうことを作者は信じている。」と松下は書いた。

また梶原夫妻と松下夫妻の四人で散策をしているときの会話。

「ねえ、和嘉子さん」松下センセはふり返って声をかける。「心を許し合ったなかまがいて、いっしょに生きていくなつかしさというかなあ――『小さなさかな屋』で書きたかったのは、そんなことなんだ」「わかってるのよ。わたしもおとうさんも、ほんとは今度の本を心待ちにしてるんよ」。(「ずいひつ　奮闘記だって?・☆」)

松下の思いを感じながら一話一話じっくり読んでいきたいと思う。

○題名のこと

もともと雑誌に連載されていた「小さなさかな屋」は「地味な展開ながら一応好評らしく、最初の一年連載の約束が二年へと更改され」(「ずいひつ　夜のレストランにて」)たが、「二年間連載されながら、読者からの反応がついに一通も届かなかった」(「ずいひつ　奮闘記だって?・☆」)と嘆く結果となった。その連載が一冊の本として刊行される際、対象が中学生・高校生となるのに合わせ題名を変えることとした。主人公の二人や周りから出た案は「小さなかわいいさかな屋」「いちおう、さかな屋です」「得さんのさかな屋」などであったが、最終的には編集者に一任された。編集者が出してきた題名は「小さなさかな屋奮戦記」であった。松下は先の「ずいひつ」で、「主人公のイメージから、これほどかけはなれたタイトルも珍しい。この小さなさかな屋は、ちっとも奮戦などしていないのである。それどころか、いつつぶれてもしかたないと半ば諦めながらの消極商法なのだ。」と言うが、結局この題名で落ち着くこととなる。

私は「小さなさかな屋」に続く言葉として、最も適切なものは「繁盛記」だと思っている。小さなさかな屋ながらもその人柄、才覚、もちろん努力で盛り上げていき、繁盛へとつながる。波瀾万丈な日々の果てに明るい幸せが訪れるようであれば、そのドラマ性も魅力になろう。しかし、松下が言うように実際の梶山鮮魚店はいつつぶれるかわからないさかな屋であったことは本書を読めばすぐ分かる。奮戦することもなく繁盛することもなく店を閉じた梶山夫妻は次の新たな舞台へと進んでいくことになる。それでも私は「小さなさかな屋」には「繁盛記」が一番似合うと思っている。

○奇形魚のこと・養殖魚のこと

梶原得三郎は『草の根通信』第119号（一九八二年十月五日発行）に「もうハマチは喰えませんよ」を、第126号（一九八三年五月五日発行）に「ハマチのことなどｐａｒｔⅡ」を載せている。いずれも養殖ものの魚に様々な薬品が投与されている現状を詳しく述べ、口にしない方が安全である、と警告する。第119号には実際に魚市場から買い取り、告発のために撮影した四尾の奇形のハマチの写真も掲載されている。（第九話　歳末の魚市場）に書かれているように梶山は養殖魚は「食べ物」ではなく「毒」であると断定し決して客に売らない。歳末に需要の多いブリでもうけを出すためには養殖ものを仕入れ、売らねばならない。妻もそうしてほしいと言う。しかし梶山は「一度原則をこわせばとめどなく流されていきそうな自身の弱さを知っているから、よけいに踏んばっているのだということが、どうしてわかってもらえないのか」と思うのだ。梶山の誠実さ、頑固さを示す、この作品の中でも最も重い場面の一つである。

実は松下にも実際の海で奇形の魚を目撃したという経験がある。松下が新産都大分の臨海コンビナートのルポを書くため別府湾の漁船に同乗し網をあげてみた時のこと、

「あれっ、ハマチがかかっちょるぞ」。（中略）だが、籠に吐き出されたたった一尾のハマチを、皆あざ笑った。奇形だった。背がガクンと曲がっている。「これじゃ金くれまいのう」とだれかがいい、「くるっもんか」とだれかが激しく答えた。しかしだれもその一尾を捨てようとしなかった。

『落日の海』1　奇形魚「西日本新聞」一九七一年十一月七日付（引用は『未刊行著作集4』海鳥社　によった。）

別府湾の漁師たちは海の汚染によって生活の場を失われつつある。しかしこの奇形の一匹を誰も捨てようとしないのだ。

公害の海の奇形魚、そして養殖の奇形魚。梶原も松下も人の口に入るものを、造り、あるいは売り、生きてきた。食べることが生きることであるならば、その食の安全は二人にとってどうしてもないがしろにできない重いテーマとなっているのである。

この飽食の時代といわれる今、子どもたちが自分が食べている目の前の食に対してしっかり考えるためにも、この作品は読み継がれる価値のあるものだと思う。

○『さかな屋の四季』

梶原得三郎の著書『さかな屋の四季』（海鳥社　二〇一二年）は、『草の根通信』に連載されていた「さかな屋の四季」と「ボラにもならず」の二作品を収録したものである。「さかな屋の四季」（最初は「魚類蛋白配達人（さかなや）日記」と題していた。）は第37号（一九七六年一月）～第113号（一九八二年四月）まで連載。大分中津、耶馬溪の谷間での軽トラによるさかなの行商の様が四季のうつろいの中に瑞々しく描かれている。後に「草の根の会」によって一度刊行されている。このあたりのいきさつについては（第六話　信頼）に詳しい。「ボラにもならず」はもともと『記録』という雑誌に載せていたものを途中から『草の根通信』に変更した。第241号（一九九二年十二月）～第263号（一九九四年十月）まで。梶原本人が「このうえなく平凡な半生を振り返っ」たものというが、人間梶原得三郎を知る上で最も貴重な文章である。また松下竜一を、ある意味陰で支え続けた一人の偉大な隣人の姿がここに明らかになっている。松下文学を読むための必須の資料ともいえる著書である。

❽『どろんこサブウ　谷津干潟を守る戦い』講談社
一九九〇年五月二十日第一刷　小学中級から
絵・鈴木まもる　見返しイラスト・森田三郎
190ページ　一一〇〇円

○著作自解

埋立ての進む東京湾の一角に谷津干潟はある。ゴミに埋もれて滅ぼされようとしていたこの干潟を、一人で黙々とゴミを拾いつづけて、ついに守り抜いたサブウこと森田三郎さんを描いた児童向けノンフィクション。

・この作品は抄出ではあるが教科書『中学道徳明日をひらく2』(東京書籍)・『中学生の新しい道2』(千葉県中学校長会編)に掲載された。

この『どろんこサブウ』は松下最後の児童向け作品になった。海を埋め立てられ火力発電所の建設を阻止できなかった松下にとって、狭いながらも野鳥の楽園として埋め立てを許さず干潟を守り抜くことができた谷津干潟の戦いは何とまぶしく栄光に輝いたものだっただろう。しかしこの保護運動も決して平坦なものではなかった、ということも松下には痛いほど見えていたのである。

松下は、この作品は出版社の編集者からの執筆依頼があったと書いている。

「東京湾の谷津干潟で泥まみれになってゴミを拾い続けた人のことを書いてほしいんです、と私に話を持って来たのは講談社児童出版部の長田道子さんである。」

「ぜひ児童向けノンフィクションとして、干潟を守った森田三郎さんの物語を書いてほしいんです」

（『図録松下竜一その仕事』）

この時、長田は二人が旧知の間柄であることを知らなかった。松下から、二人の知り合ったいきさつを聞くに及んで、長田は小学校三年生でも読める作品を、と強く執筆を依頼し松下もこれを受けることとなる。

松下は森田三郎のことは以前からよく知っていた。松下が地元で火力発電所建設反対運動に邁進していて、その発電所は豊前市の明神の海を埋め立てて建設される計画であった。同様に小さな谷津干潟をこの世から消し去ることに果敢に反対し、一心にゴミ拾いをしている森田のことも当然関心を持っていたことになる。そして松下は一九七六年七月十八日に森田を呼び、豊前市、中津市で二回講演をして貰った。その時以来の旧知である。こうして干潟を守ろうとした一人の不屈の人物伝として松下はこのノンフィクションに挑んだ。

ただ、思いとは裏腹に遅々として筆は進まなかったと松下は書いている。

「八月までには仕上げますと約束しながら、その八月が終った時点で、私にはまったく構想も立っていなかった。」

一人の男が黙々とゴミを拾う「地味な話」を小学生たちにいかに興味を持って読んで貰うか、松下は悩むのだ。そこで松下が考えたことは「そうだ、主人公の名をサブウで通してみよう」ということだった。腕白少年だった頃、森田は友だちから「サブウ」と呼ばれていた、そしてその子供時代の心を持ち続けて今も「サブウ」は懸命に干潟を救おうとしているのだ。「そう思いついたときに、にわかに作品世界がひらけたのだった。」

（「〝森田三郎さん〟を書いた」『草の根通信』第210号　一九九〇年五月五日発行）

さて、この作品はプロローグとエピローグに挟まれて15の短い章段からできている。私はこの作品を大きく三つの場面に分けて考えてみた。便宜上Ⅰ部・Ⅱ部・Ⅲ部と呼び、目次の15の章段にも数字がふっていないので、ここも便宜上1章から15章と呼ぶことにする。

Ⅰ部　1章「ゴミにうもれた海」～4章「海からのおくりもの」（7～52ページ）

Ⅱ部　5章「楽園の子どもたち」～8章「夜浜の思い出」（53～95ページ）

Ⅲ部　9章「たった一人の戦い」～15章「サブウの黄金の海」（96～176ページ）

Ⅰ部は新聞配達の仕事をしていた森田がある日の新聞の記事（「読売新聞」千葉版　一九七四年十二月十三日付）で谷津干潟が埋め立てられるということを知り、懐かしさのあまり出かけてみると、昔遊んだ海とは全く違うゴミまみれの海であった。その後森田は、干潟のゴミを全て拾い上げこの海を生き返らせようと決心し、手探りのまま行動に移していく場面。

Ⅱ部は森田の幼い頃の思い出の場面。埋め立てられようとするこの海でどんなに楽しく遊んできたか、その「ゆめのような時代」を思い出す。自分を育て豊かに包み込んでくれた海で過ごした子ども時代のすばらしい過去。

Ⅲ部は長年ゴミ拾いをし、鳥の調査をし、市や県や国に陳情しこの小さな干潟を必死に守ろうとする森田の姿を描く。自然保護団体や地元の住民たちの努力も相まってこの谷津干潟はやっとのことで埋め立てを免れた。国設鳥獣保護区特別区に指定され、鳥の楽園として残すことができたという場面。

Ⅲ部にページが多く割かれているのは主人公森田の活躍を紹介するノンフィクションであるから当然なのだが、私がこの作品を読んで一番強く感じたのはⅡ部に込めた松下の強い思いだった。森田にとってこの海はかけがえのない幼年時代の黄金時代を形作った場所だ。その森田がふと見た新聞の記事と「ふかんど」の写真との出会いは運命であり、松下にとってもその運命は「文学的事件」として感じられたのではないか。この日からの森田の何かにとりつかれたような一種「異常な情熱」の向けられた干潟のゴミ拾いのさまを徹底的に観察し記録しようとする。Ⅱ部に重きを置いた松下の構成の妙はこの作品を一段と優れた読み応えのあるものにした。

松下の作家としての技量の賜物であるといえる。ちなみにⅠ部は45ページ、Ⅱ部は42ページ、Ⅲ部は181ページである。また松下は森田の描いた「干潟の想い――ありし日の谷津干潟と赤銅色の子供たち」という楽しい絵をみてその躍動感に魅せられ森田に興味を示したと、「この本を書いたちょっとした理由――あとがきにかえて」に書いている。その楽しい絵は本書の100〜101ページに掲載されている。

松下はこの作品を書くにあたって作者が子どもたちに向かって語りかける文体とした。松下と子どもたちが互いに問答を繰り返しながら「サブウ」のことを語り伝えようとしたのもわかりやすさ、読みやすさを加える上でのひとつの工夫であった。

○人生の目標

さてこの作品のひとつのテーマとして捉えられるのは「目標」ということでもある。ひとつの新聞記事と一枚の写真との出会いは、この海で遊んでいた黄金の日々のことを思い出させ、生きることの目標を見失っていた今の自分の胸に何かが湧きだしてきたのを森田は感じるのだった。

新聞配達の仕事をしながら、大学に通い、膨大な本をむさぼり読んだのはこの一生に何を賭ければいいかがわからなかったからだ。ただその本の森の中に森田は「目標」たるものを見いだすことはできなかった。せっかく卒業間近になった大学を四年生でいさぎよく辞めてしまうところにも「自分が一体何をしたいのか」がわからなければ大学の勉強は無駄であると考えたからだ。彼にはこのような強い意志力があった。

一枚の写真との出会い、そして実際のゴミだらけの瀕死の海を見て「この干潟を守ること」を人生の「目標」に定めた森田にもう迷いはなかった。森田は果敢に干潟を守る戦いに突入していく。これはまさに戦いであった。

サブウはゴミに埋まっている干潟の一隅に「ういういしいみどりのヨシの芽」を発見し、「まだ、まにあうかもしれない。」と感じる箇所は感動的ですらある。また、ゴミの中からヤシの実を見つけた話はおそらく事実なのだろうが、このあたりの文章は松下の「童話」作品にも出てきそうな場面である。

○森田の語ったこと

ここで松下たちが一九七六年七月十八日に、地元大分県中津市と豊前火力発電所建設地の福岡県豊前市の二ヶ所で行った「もうこんな風に遊べない！――報告：海と干潟を語るつどい」での森田の発言をいくつかその記事から挙げてみる。（『草の根通信』第44号　一九七六年八月五日発行　報告は坂本紘二）

「その汚い谷津干潟に行って、今ここにいるシギやカニたちがあの豊かだった谷津干潟の生き残りだと思う時、やはり僕なりに自然保護をしたいという、心の中に熱い義務の遂行のようなものを感じる」

「生きながらにして葬られていった海の幾億万の仲間達に代って、貧しい自分達に豊かな経験を与えてくれた干潟に対して、出来る限りのことをしてやるのが、地下に眠っている生き物に対するお礼になるのではないかとふとそんな気持でいる」

その「出来る限りのこと」が、森田の描いたあふれるばかりの生命が躍動している絵であり、また1200ヘクタールもの埋立地での気の遠くなるような野鳥の巣の調査である、と坂本は報告の中で述べている。また、この『草の根通信』には4ページにもわたってこの「語るつどい」の紹介をしている。(なおこの集会での森田は「千葉の干潟を守る会」会員として紹介されている。)

○I部第3章「いのちのゆりかご」

この章では松下が、干潟はいのちの宝庫であると述べる。そのいのちの宝庫である海をどうして埋めたてるのか、と問い、その答えとしてコンビナート方式で経済的高度成長を担う重化学工業地帯を作るという国の大きな計画によってであると捉える。さらに海は誰のものでもないので漁民に補償金を払えば簡単に埋め立てられる、そして東京湾の干潟もほとんどこうして埋め立てられてしまったのだと考える。

この章は作品の流れを一旦止めて、松下の海を守る思想が子どもたちにもわかりやすく説かれている箇所である。この主張は松下の多くのノンフィクション作品、エッセイの中にもページを割いて繰り返し繰り返し説かれている。児童文学の中でも『海を守るたたかい』や川崎の大気汚染公害を扱った『いつか虹をあおぎたい』などの作品にこのことが力説される。

松下は海を守るための行動を貫いてきた。そして大人よりもこれからの未来を拓いていく子どもたちに託したいのだ。大人たちの過ちを繰り返さないために、賢明な子どもたちにこのことを知ってほしいと松下は一心に訴えていく。

○谷津干潟のこと

13ページに「谷津干潟の位置と周辺」という図が掲げられている。周りがほぼ完全に埋め立てられ、ここだけ奇跡的に残っている。およそ500メートル×1000メートルの長方形の干潟、これが谷津干潟である。千葉県習志野市西部に位置する約50ヘクタールの干潟（40、あるいは43という資料もある）は二本の水路（谷津川と高瀬川）によって東京湾とつながっていて、潮の満ち引きがある。生きているのだ。

周りが埋め立てられているのになぜ長方形の干潟が残ったのか。それは「千葉県は京葉港地区埋め立て工事を開始し、谷津干潟も埋め立てようとしました。しかし谷津干潟は大蔵省所管の国有地であったため、公有水面埋立法では埋め立てることができませんでした。」という理由による。（リーフレット『谷津干潟はこうして残った』二〇一〇年）

ただそれでも市や県は埋め立てを実行しようとした。多くの市民、保護団体の反対などで、結局埋め立ては中止。一九八八年に国の特別鳥獣保護区になり、一九九三年にラムサール条約登録地となり現在に至っている。これらの谷津干潟に関する経過、保護運動の経緯については多くの資料、書籍があるので詳しくはそれらを参考にしてほしい。

私は上京する度にこの干潟に足を伸ばす。干潟の周りの遊歩道（約3・5キロ）をゆっくり散策し鳥の姿を眺める。一九九四年に開館した谷津干潟自然観察センターも充実しており、いつも子どもたちの歓声が響く。

○Ⅲ部第9章「たった一人の戦い」

森田の行動が突出して感動的なのは、その行動が「たった一人の戦い」であったからだ。少なくとも松下のこの作品を読む多くの読者たち、もちろん子どもたちも含めて、その孤独な戦いぶりを驚きのまなざしで見つめるに違いない。

試みに、この作品の中から「普通の人」とはちょっと違った人物の「孤独」な戦いということが表されている箇所をいくつか抜き出してみよう。

・たとえいくつになっても、子どもの心をそのままもちつづけているおとな（「プロローグ」）
・サブウは、やっぱりちょっとかわっているのかもしれない。（「ゴミにうもれた海」）
・サブウはかわり者だというしかない。（「まだ、まにあうかもしれない」）
・ばかみたいになろう。（「海からのおくりもの」）
・サブウの心はひどく孤独だった。（「同」）
・「おーい、そこの変人。」（「同」）
・森田よ。おまえを見てると、からだはおとなだけど、心のなかは子どものままみたいだな。（「楽園の子どもたち」）

・そんな者（ゴミひろいを手伝ってくれる者――中野注――）は、まだ一人もあらわれてはいない。（「たった一人の戦い」）
・ひろっているのはサブウ一人なのに……（「同」）
・どなたでもいいです。いっしょに、加勢してください！。（「同」）
・こんなとほうもないことを思いつくのは、サブウくらいなものだろう。（「野鳥のたまごを数える」）
・サブウの考え方には、常識でははかれないようなスケールがある。（「同」）
・ほんとに、こんなすごい調査を、たった一人でやったんですか。（「同」）
・大きな流木を引きあげようと、一人で悪戦苦闘しているのだ。（「日本一の大ばかさん」）
・一人の力ではどうにもなるまいと思われていたゴミの山も、……（「クリーン作戦開始」）
・「あなたをへんな人と思ってたのよ。あんなこと一人でつづけても、むだなのになあ、よくやるよって、ばかにしてたの。」（「同」）
・「森田さんは、たいへんなことを、これまでたった一人でやってたのね。」（「同」）

そして松下の「この本を書いたちょっとした理由――あとがき」には、森田を中津・豊前に呼んでその活動の報告をして貰ったことを受け、次のように書いている。

「一九七六年七月のことで、森田さんがまだだれからも相手にされず、一人で谷津干潟のゴミひろいに悪戦苦闘していたころです。自分のやっていることが、とおい九州でみとめられて、はるばるとまねかれたということに、とてもはげまされたと、あとで森田さんにいわれました。」

松下は一人の孤独な一凡人（後には超人とも言われるが）がこの干潟を守るために一生をかけるという目標を持ち、ただひたすらに邁進したその姿を児童文学として子どもたちにもわかりやすく作品化したかったのだろう。誰からも相手にされず変人といわれながらもその真摯な行為はやがて干潟を鳥の楽園として死守することにつながったのである。これは一種の英雄譚であり、松下はエピローグで、森田にすばらしい賞が授けられたという美談で締めくくりたかったのだ。

ただ、ここには少し考えておかねばならない問題もあった。森田の行為が心を打つのはその無名性としての一途な取り組みの継続であり、それが徐々に周りの人々を巻き込んでいく過程にこそあった、と私は思っている。森田は「どろまみれのサブウ」のままでこの記録（松下のこの作品）は終わってほしいと願った、と「エピローグ」にあるが、これが本心だったのだろうと思う。賞などとは無縁のままで自分のできる限りのことをひたすらやり抜くこと、森田はそうやってゴミを拾ってきたのだ。そしてそのような無名の者たちがこの世に、それこそ無名のままで多く存在していることを、そしてそのことがいかに貴いことであるかも、松下も当然知っていたのだろう。その松下が、森田が吉川英治賞を受賞したことを書いたのは、実はこの作品の執筆依頼の時点までさかのぼって考えておかねばならない。松下が依頼を受けた時、講談社の編集者は次のように言ったという。

「その谷津干潟を護るために長い間努力してこられた方が、今度吉川英治賞を受賞されたんです。——それで松下さんに御相談というのは、その人のことを小学生向けのノンフィクションに書いていただけないかってことなんです」（「〝森田三郎さん〟を書いた」）

執筆依頼の最初の時に既に「吉川英治賞」の話が出ていた。この話で作品を締めくくるということは暗黙の合意となっていたのだろうか。（この賞の事務局は講談社内にあった。）しかし、松下はそれだけでは終わらなかった。編集者からの依頼を受け、執筆に入った松下はその最後に「いちばんかんじんな報告」を記すことを決して忘れない。

一九八八年十一月一日、国は習志野市の同意をえて、谷津干潟を「国設鳥獣保護区特別区」に、指定したんだ。これでもう、今後二十年間は、谷津干潟のうめたてはゆるされなくなったってわけだ。どんなビッグな賞よりも、それがサブウにはいちばんうれしい賞だったかもしれないね。（「エピローグ」）

森田は言う。自分が残したかったのは「ほんものの干潟、谷津干潟それ自身だ。」（「サブウから読者へ」）

子どもたちにわかりやすい目標設定と血のにじむような努力、その果ての結実。子どもたちはこの作品を読み終わって平和裡の結末にほっとした安心感とカタルシス（浄化作用）、そしてこのような人物が実際にいるんだという心強い気持ち、自分もやればできるのではないかという気持ち、そして何よりも強い感動を味わうに違いない。

○本当にたった一人の戦いだったのか？

実は、松下は「たった一人の戦い」ではないということも、すでに見えていたはずである。私はそう確信している。

松下は地元での豊前火力発電所建設反対運動を推し進めていく中で、確かに孤独な戦いを強いられたにせよ、その回りに集う『草の根通信』の仲間たち、愛読者たち、一緒に活動する若い人々、学者たち、そしてほんの近くの親しい人々、彼らの援助なしに長年にわたっての苦しい戦いを続けることなどできるはずもなかったのである。豆腐屋の狭量な世界から文筆で立ち、社会に目を向けようとした松下にもいくら少数とはいえ彼を信じ行動をともにする仲間たちがいたのである。彼の多くのノンフィクション・エッセイを読んでもその交友録の楽しさ、豊かさは十分に感じられよう。

森田が干潟を守るために「一人」で黙々とゴミを拾い、鳥の数、巣・卵の数を数えたことは事実である。そしてそのことはそれだけで十分私たちの胸を打つ。しかし、その中で松下は森田を援助する者たち、また森田と行動をともにすることはなくともおのおの独自の考え、方法で干潟を守ろうと真剣に考えていた人たちも多くいたのだということを既にわかっていた。そうでなければこんな埋め立て中止という大事業ができるわけはない。松下は作品の中に、周到に、いくら森田の英雄譚とはいえ森田以外のそれこそ必死に海を残そうとしていた人々が多数いるということを書き込んだ。それは作家としての矜持であろう。

『どろんこサブウ』の中から干潟を守るために懸命に活動している人々の姿をいくつか抜き出

してみよう。

・日本鳥類保護連盟、「野鳥を愛する人たち」が、「このきちょうな干潟をうめないでのこしてほしいと、環境庁などにうったえている」（「ゴミにうもれた海」）

※この部分はサブウがみた読売新聞の記事。（中野注）

・「野鳥保護の会の人たちが中心になって、ここをうめないでくださいっていう署名あつめをしているんですよ。」（「海からのおくりもの」）

・一九七六年三月、習志野市の市議会は、市民一万人以上の署名をそえて出されていた、「谷津干潟を保存してください。」という請願（議会にねがいでること）を否決し、うめたてる方針をかくにんした。（「たった一人の戦い」）

・千葉の干潟をまもる会の会長大浜清は、びっくりして目をみはった。（「野鳥のたまごを数える」）

・ある日、……。まるでサブウをまっていたかのように、ていぼうの上におぼんがおかれていて、湯のみ茶わんにあたたかいお茶がはいり、おかしもそえられているではないか。（「日本一の大ばかさん」）

※近くの住民のサブウへのあたたかい援助の始まりである。

・セイタカシギのつがい（夫婦）が、谷津干潟近くのうめたて地で、野鳥の会のメンバーなどによって、はじめて目撃されたのは五月下旬だった。（「セイタカシギがとんだ」）

※野鳥の会のメンバーが、貴重な渡り鳥の営巣地であることを証明するために日々活動していた。

・千葉の干潟をまもる会や、日本野鳥の会千葉支部のメンバーが、力をあわせてこの巣を見まもっていくことをきめた（「同」）

・「森田さん、足が不自由でこまるだろ。あんたに車を一台あげるよ。」…かれは、自動車はんばい店の社長だった。（「同」）

・サブウが国松俊英（野鳥の会会員　中野注）といっしょに、谷津干潟少年団を、正式にスタートさせたのは、五月五日の子どもの日であった。（「クリーン作戦開始」）

・ついに、干潟のゴミ退治を手伝う者たちが、あらわれはじめた。近くの団地に住む主婦たちが中心である。（「同」）

・この作戦（谷津干潟第一回クリーン作戦　中野注）には、「谷津干潟愛護研究会」（これはサブウが会長だ）、「日本野鳥の会千葉支部」「千葉の干潟をまもる会」などから、おとなや子ども三十人が参加して、いっせいに干潟のそうじにせいだしたのだ。（「同」）

・近くの道路工事をしている、いくつかの建設会社が、クレーン車を出動させ、十六人もの作業員を動員して、干潟の大型ゴミをいっきに引き上げ、トラックで運んでくれたのだ。（「同」）

森田がゴミにあふれ、埋め立て寸前の谷津干潟のことを新聞で知ったのは一九七四年十二月のことで、森田は会員一人だけの「谷津干潟愛護研究会」をつくり干潟のゴミ拾いに専念していく。その前の一九七一年には「千葉の干潟を守る会」「習志野の埋立と公害に反対する会」などが組織され市議会・県議会にあてて請願も繰り返し行われている。千葉野鳥の会も発足し、森田がゴミ拾いに突入した七四年、七五年にかけても繰り返し繰り返し請願活動は続く。後には「谷津干潟環境美化委員会」「谷津干潟友の会」などが設立され清掃や環境保全のための活動を続けていく。地元の袖ヶ浦団地三千戸に埋め立て反対のマークを描いたポスターが貼られたのは一九七二年のころで地域住民らを巻き込んでの反対運動は連綿として続いている。決して森田一人の行動だけが干潟を守ったのではない。

しかしこの森田の信念は強く私たちの心を揺さぶる。こんな人がいるのかと人間に対する信頼と希望を与えてくれる。人間賛歌、松下がこの作品で描きたかったのはまさにこのことなのだ。

○谷津干潟を描いたコミック

鳥の楽園となった谷津干潟を紹介する著書や森田の戦いを紹介した著書、あるいは海や干潟の環境保全に関する専門書など、そして絵本・鳥の写真集など、今私たちは谷津干潟に関する多くの本を見ることができる。その中に一冊、青少年向けに書かれたコミックがある。（もちろん大人の鑑賞にもたえる。）三枝義浩『埋もれた楽園――谷津干潟・ゴミと闘った20年』（講談社KCデラックス　一九九三年）である。この本に松下は「失いたくない大切な自然」と題する解説を書いている。（余談だが、この解説では松下の肩書きが、童話作家となっている。児童文学作家・童話作家になり損ねたと常々言っていた松下にとって嬉しい肩書きだったのだろう。）

松下の児童向け作品は、基本的に子どもたちに対する期待に満ちていると言ってもいい。現状を打破し、より豊かな未来を創造できるのは子どもたちしかいないのだ、という強い信念によって書かれている。コミックの主な読者層である青少年に、まず取りかかりやすいこのコミック作品を通じて森田の行動の意味するものをつかみ取ってほしいと念じていた。

この解説は6ページの短いものだが、松下の自然に対する思いが素直に表出されている。森田三郎との出会い、環境破壊が進む現状、松下が取り組む海の埋め立て阻止行動、干潟がいかに海を浄化するかの考察など松下が多くの著作で繰り返し述べてきた思いを簡潔に説明する。そして、自然への畏敬の念を持つことの大切さを述べる。松下は言う。

海にむかって、あるいは山を仰いで立つとき、私たちの心がなにか大いなるもののふところに抱かれたように安らぎ、解き放たれるという体験は誰にもあるはずです。それが人間の本然というものでしょう。

人間とはそもそも自然に生かされているものである、ということだろう。人の欲得だけでいかに自然を蹂躙してきたか、松下はもう若い世代の人々の感性に期待するしかないのである。松下はこの解説を「さあ、あなたもこのコミックを閉じたら、近くの自然にひたってみませんか。」という投げかけで閉じている。

第二章　松下竜一の児童文学

1　その出発

❶父の童話・母の童話

松下が文学に目覚める前、幼き頃の記憶として「父の童話」と「母の童話」があった。父母が彼に語ったこの小さな一編ずつの「語りごと」。これこそ後の松下の文学の原点ともなったものであり、意識するしないに関わらず、常に彼の心の片隅に暖かく淡くしかし確実に明かりを灯し続けたろうそくのようなもの、また温石のようなものであった。松下が本格的に文学に親しむのは小学校時代、痛快小説に耽溺することから始まる。ここでいう痛快小説とは松下がたびたび懐かしく語っているような、「密林冒険譚」「探偵小説」「空想科学小説」「時代小説」「伝奇小説」「熱血小説」などの娯楽小説の類であった。具体的な作者・作品名はいちいち挙げないが松下はエッセイなどで詳しく、繰り返し書いている。（たとえば、『その仕事25』エッセイ）中学・

高校時代には将来、作家となることが目標となり、日本の近代小説、欧米の小説にどっぷりとつかる生活を送り、豆腐屋の生活を支えていた母の急死がなければ東京での遊学も現実のものとなって一人の文学者の誕生も夢ではなかっただろう。松下はノンフィクション作家として一つの達成を果たすが、その基盤にあるものは短歌の抒情の世界であった。さらにいうならその短歌の道を捨てて作家たらんとした時に松下の心の中にあったものは、自分がこの世に誕生し生きるか死ぬかの境をさまよったあの苦悶の経験、そしてそこで父と母が幼い松下に語った二つの童話の世界であった、と私は心底そう思っている。松下はこの二つの童話によって生きることができたのだ。さらに人生の岐路にぶつかるたびに繰り返し繰り返し胸に去来し、自分の進む道を明示してくれたものこそこの愛情のこもった二つの童話であった。

○父の童話

松下は次のように書いている。

生後間もなく、私が急性肺炎の高熱で両目が飛び出したとき、若かった父は私の目を助けてくださいと、遠い草深い里のお地蔵さまに願かけに行ったという。そのお地蔵さまは、千目地蔵（せんのめじぞう）と呼ばれ、昔は顔にも背にも胸にも目があって、千の目を持つお地蔵さまだったのだという。願かけに来る人たちにそのお目を与えられるので、だんだん減っていき、父が行った頃はもう幾百くらいの目しか残ってなかったそうだ。そのお地蔵さまから、私は一個のお目をもらったのだろう。右は失明したが、左目が助かって片目だけ貴い光が残った。

（「目」『吾子の四季』）

幼い松下は、どうして二つの目を下さらなかったのだろう、と父に聞く。父は、お地蔵さまは一人に一つしかお与えにならない、その理由は「ひとりにふたつずつもやったら、五百人にしかやれないだろう？　お地蔵さんはなあ、千人の盲を救いたいのだよ。片目でも、お前はちゃんと世界を見ることができるだろ？」と答えたという。

松下はこれを「父の童話」と呼んでいる。その地蔵の所在を聞く松下に父は、「さあ、もう忘れたなあ。草の深い深い所だったからなあ」と答えただけだった。同じ『吾子の四季』の中に次のような一文がある。「私が急性肺炎をわずらったのは、昭和十二年十月であったという。生後八ヶ月目である。」（「親の悲しみ」）わずか八ヶ月の我が子が生死をさまようほどの大病にかかる。父の嘆きはいかほどであったことか。その時父はまだ豆腐屋稼業を始めておらず材木商として羽振りがよい生活をしていたらしい。中津市には当時十人ほどの医者しかおらず、父は全ての医者に診断治療を仰いだ。さらに祈祷師を頼み、自分でもあちらこちらの神仏に願掛けをする。我が子の命をどうにかしてこの世につなぎ止めようとする必死の父の姿がそこにある。次のような一節もある。

「当時、良薬もいい治療法も知られず、ただ幕を張りめぐらして外気を防いだ暗い部屋に木炭をガンガンおこして湯を沸かし、その湯気を部屋いっぱいに満たすという奇妙なことをするのだったらしい。」私がこの一節を読んで驚いたのはあの宮沢賢治の妹トシが自宅で結核の療養をしている様子とよく似ていたからだ。トシの場合は一九二二年のことであるが東北と九州で同じような治療法を行っていることにびっくりする。松下も後に結核という診断を受けるのだが、これは誤診で実際の病名は多発性肺嚢胞症であった。幼い松下は、近くの眼科医の適切な処置によってどうにか助かった。

新木安利は、この父が御祓いに行った「行橋の奥のお宮」とは福岡県勝山町（現行橋市）黒田の「胸の観音」のことではないかと推測している。（『松下竜一の青春』海鳥社　二〇〇五年）松下の住む大分県中津市から日豊線で行橋まで、そこから田川に抜ける国道二〇一号線で仲哀峠のやや手前黒田神社のあたりから右手、細い道を二キロほど進む。標高二三二メートルの鹿ケ峰の中腹にこの胸の観音がある。巨大な岩がいくつも積み重なっており、おそらく古代の磐座（いわくら）の跡、祭祀場ではなかったか。本尊は聖観世音菩薩。ここには延永長者の伝説が残っており、それが「胸の観音」のいわれとなっている。この伝説は昔話「蛇婿入」（水乞型）と同類のもの。大旱魃で田植えができず困り果て、長者は三人娘のうち一人を差し出すと龍神に雨乞いをする。竜巻が起こり大雨となる。娘を差し出さねばならなくなり長者は苦悩するが末娘の早苗姫が引き受け、恐ろしい龍神が姫を飲み込もうとすると姫は観音経を唱え木綿針で綴じ池に投げ入れた。観音経と鉄の針を飲み込んだ龍神は成仏した。姫は帰路、鹿ケ峰にいたってにわかに胸の痛みを感じて亡くなった。この場所が現在の「胸の観音寺」である。胸の病気に御利益があるとして信仰を集めてきた観音様である。

また、父が命乞いに出かけたと思われる寺社などは近隣の地にもあったのだろう。たとえば同じく中津から日豊線で福岡豊前市の宇島駅に降り、霊峰求菩提山に至る県道三二号線を車で三十分ほど進むと、狭間という集落に着く。左手佐井川を越えると千手観音堂（旧岩屋山泉水寺）があり、ここも多くの人々の信仰を集めている。この千手観音像は旧国宝、国の重要文化財である。平安時代後期の一木造りで二メートルほど。いうまでもなく千手観音はその千の手であらゆる衆生の苦悩を、あらゆる方策によってお救い下さる仏様である。たとえば有名な国宝大阪葛井寺の千手観音像は奈良時代の制作で、実際に大きな手四〇本、小さな手一〇一本があり、その手のひらにはひとつずつ「目」が描かれている。千手千目観音といわれるゆえんである。

この観音堂の裏の岩壁から霊験あらたかな水が湧いており「乳の観音」とも呼ばれている。ここにも伝説が残っている。観音を篤く信仰している母が乳が出なくて困っていると夢に観音様が出て、この霊水でおかゆをつくって食べるようにいわれそのようにするとお乳がでるようになったという話である。

松下の父が実際にはどの寺社にお参りしたのかは分かるはずもなかろうが、経済的に余裕のあった時代のことで、名の通った御利益があると信じられた社寺にはおそらくへんぴな場所まで子どもを救いたい一心であちらこちらに足を運んだのだろう。

なお松下は「千目地蔵」と記憶していたということだが、別の箇所で「千手観音地蔵」という書き方をしている。（『明神の小さな海岸にて』ただし父が松下のためにお参りに行ったという場面ではない）観音・地蔵・如来などの区別を厳密に考える必要はないだろう。

松下はこの父の姿に、子を思う、何も見返りを求めない純粋な父性を感じそれがそのまま松下の子どもたちへの姿勢として浮かび上がってくる。この父の童話こそが最初期の松下の心を動かした最も尊い語りであったのだ。松下はこの後一つの左の目を持って「世界」を正しく見ようと懸命な努力をしていく。

○母の童話

松下の「瞳の星」「眼施」(『豆腐屋の四季』) は何度読んでも心に迫ってくる文章だ。松下が生まれて数ヶ月経ち急性肺炎にかかり生死の境をさまよって高熱のために右眼が見えなくなってしまったということは前に書いた。「病弱で、やせっぽちで、非力で、臆病で」「ひどい猫背」で、そんな松下に母は「お星様の童話」を語る。失明している右眼にホシがある。「それはね、竜一ちゃんの心がやさしいから、お星様が流れて来てとまってくださったのだよ」小学校でいじめられ泣いて帰った我が子に対して母は「ホラホラ、そんなに泣くと、目のお星様が流れ出てしまうよ」「お星様が流れて消えたら、竜一ちゃんのやさしさも心から消えるのだよ」

母は松下に「一度だって強い子になれとはいわなかった。ただ、やさしかれ、やさしかれ」と語りかけたという。後に松下は「眼施 (げんせ)」という言葉に出会う。「眼施とは柔和な目で人を見るということです。やさしさのあふれた目で人に対するということです。」

後に九州電力豊前火力発電所建設反対運動にのめり込んだ松下は、まだ裁判中であるのに海を埋め立てる九電に対して怒りと絶望の目を向ける。そんな時にでも松下は思うのだ。「やさしさがそのやさしさのままに強靭な抵抗力となりえぬのか」(『明神の小さな海岸にて』)と。ただ自分がやさしい目でやさしい言葉でやさしい行いでまわりの「敵」といわれる者たちに対峙した時に果たして相手がその意図を汲み、まさにやさしい態度・言葉で接してくれただろうか。松下の記録には歯ぎしりしたい絶望と無念さと恨みまでも切々と述べられている。やさしさに徹するということがこんなにも困難な社会の中で、松下は切歯扼腕しながらも、ふと懐かしく父と母の童話に立ち戻る幸せも感じていたには違いない。

このやさしさは松下の生涯を通じて灯し続けた光明であったのだろう。この二つの童話は、親の、子に対する無償の愛しさの噴出でありこの体験を子どもたちに将来にわたって引き継ぐことになる。松下の我が子に対する愛惜の情の始原はここから始まるのであり、ひいては我が子だけではなく広く子どもたち全体へのいとしさに変わっていくことになる。そしてこれらの思いは本書「1童話」で述べた、後に松下が描く「童話」の原型になっている。松下の童話はここから出発したのである。

○美しい童話へ

松下に「自転車で」(『吾子の四季』)という文章がある。早朝妻と二人で自転車に豆腐缶を乗せて配達に行く。

「アッ、星が流れた!」と、妻が驚いて指さした。それをきっかけに、私と妻は寒い土手の上にたたずんで、星空を見あげた。さえぎる灯のない暗い土手から仰ぐ星座は、殊に冴えて美しい。

「あんた、童話を書きたいって、よくいってたなあ?」

「ああ、美しい美しい童話を書きたいなあ。でも……夢だよ。おれにはダメだろう」

「あんたなら書けるよ。健ちゃんに聞かせるつもりで書けばいいじゃないの?」

松下はこれほどまでに「美しい童話」に拘泥していた。妻は、子どもに聞かせるように、と言ってくれた。松下はその言葉を胸に自分の小さな生活の中に潜むやさしさを探しだし言葉を紡いでいこうとした。

私はときおり想像する。——ある夜、にわかに私の目が「詩眼」となって、視るものことごとくに美しい詩を見いだせたら、どんなに素晴しいことだろうと。

濁った平凡な目しか持たぬ私は、精いっぱいの凝視で、ひとつひとつの詩を掘り出していかねばならぬのだ。

(「やもり」『豆腐屋の四季』)

こうして松下はあらゆる小さなもの、特に幼い子たちのささやかなことば・しぐさを凝視しそれらを天から与えられた僥倖のごとく感じ、それを「記録」していく。

❷金重剛二との出会い

松下の著作の中で金重剛二の名前が最初に登場するのは『歓びの四季』の「他人の痛み」である。一九七〇（昭和45）年のこととして、松下の読者である山口県宇部市の一女性から金重剛二著『タスケテクダサイ』（理論社　一九七〇年）という本が送られてきた。おそらく松下は金重という名前に覚えがなかったのだろう。それでも一読後、松下はこの著書に書かれている仁保事件の被告人岡部が無罪であると確信し、岡部救済の運動へと邁進していくことになる。自分の意思で社会へ打って出る決心をさせたのだ。今、私はこの松下の変貌については詳しくは述べない。一豆腐屋から作家へと転身する心の葛藤、うねりについては松下自身も多くを語り、評者の優れた論評も多々ある。また冤罪事件といわれた仁保事件についても金重のこの著作を読んでいただくことで、私は中途な説明はしない。私がここから少し述べようとするのは、松下がこれから童話や児童文学作品を書くに当たって、この金重との邂逅が大きな文学的事件になっているということである。松下は金重との交流から、その作品から何を得て、そして何を学ばなかったのか、そのことを考えてみたい。

松下が一九七〇（昭和45）年七月二十九日に「仁保事件の真相を聞く会」を中津で開催した際、その講師として呼んだ金重に、松下は初めて会ったと思われる。二人の交流はここから始まりその後『歓びの四季』などの文章の中で幾度も金重についての記述を加えていくことになる。

「私は彼に特別なしたしみをおぼえていた。彼も若く私も若い。彼は童話作家として、そして私も著作家として共に無名の出発を始めている。そんな共感が、二人を一挙にしたしくさせていた。経済的には実に苦しいが、童話作家として貫きたいといいきる彼と、強く別れの握手をした。この力強い握手を私は忘れないだろう。」(「集会」『歓びの四季』)

なんともうらやましい限りの青春の発露であろうか。松下三十三歳、金重二十七歳、いまだ二人とも夢見がちな素朴な若者のようである。経済的な裕福さよりも、物質的な贅沢よりも何よりも童話を書いていく生涯を目指す、まことに甘い青々とした稚気が抜けぬ二人は、真に幸福であり羨望の的以外の何者でもない。

「金重は口の重い青年だ。音楽鑑賞が好きなのか、その狭い仕事部屋に、不似合いなステレオが置いてある。父は戦死し、いま母親といる家は、徳山駅の近くの線路沿いにある。五分おきに通過する電車や貨車が、激しく机を震動さす。」(和田健『郷土の文学・本と人』条例出版 一九七五年)

「広島からの帰途、徳山で下車し、私は金重剛二さん宅に立ち寄った。『タスケテクダサイ』の著者として知り合い、彼のすてきな童話『ドリーム77』を読んで、私はたちまち彼の親友になってしまった。」(「りんどう」『歓びの四季』)

二人は家を訪ね文学を語り合う。この金重の児童小説『ドリーム77』について松下は次のように感想を述べている。

松下は夜の海辺で「小さな童話」を探そうとする。この周防灘のはるかな対岸に山口県の宇部や徳山があり、金重はそこにいて、美しい童話の芽を拾いあげようとしているだろうと夢想する。そして次のように書く。

『ドリーム77』はすてきだね。雲の上に、夢を造る工場があって、地上の一人一人の哀歓にふさわしい多様な夢が造り出されている。地上で夭逝した少年少女たちが天使となって、その夢の配達人となる。それぞれ夢の入った小さな袋を持って、めざす人々の枕辺へと、天使たちは舞い降りてくる。夢をソッと、眠る人々の頭の下に置いてくため。」

松下はこの児童小説を「美しいファンタジー」「美しい童話」と呼んだ。

松下はまた徳山の金重に会いに行く。

「今ね、動物園を逃げだしたオランウータンの物語を構想しているんだーと、金重君はいう。」

松下は二つのふくろうの笛を取り出した。耶馬溪の陶器でできたふくろうの笛。

「おれが一個、あんたが一個持ってて、原稿書けずに寂しい夜、ホーホーと吹こうよ。中津でホー、徳山でホーと。」（「白鳩」『歓びの四季』）

よくもこんな「純」な心の持ち主がそろって出会ったものである。周防灘を隔て、何も書けない夜にお互いふくろうの笛を吹き合う。似たもの同士の、性格もよく似た二人、それにしても大の大人が、と笑われることだろう。その稚戯を揶揄するものもいよう。しかしそれが許されている、そんな稀な時代であったとも言ってよい。

だが松下は次のようにも書く。

「美しい美しい童話を書きたいなあと思う。そんな世界に没入していきたい憧れがある。だが一方では、〈美しい〉ということが、現実の暗部に目をそむけた卑怯な逃避であり、つきつめていえば加害者の立場に立つことではないのかという、苦しい反省がある。」（「迷い」『歓びの四季』）
自分と金重との「童話的世界」「美しいファンタジーの世界」への懐疑である。松下は迷いに迷う。仁保事件への取り組みを強め、それこそ「現実の暗部」を凝視し始めた松下にとってやさしい童話の世界は逃避の場所になってはいないかという思い。迷い続ける。そんな松下に金重は次のように問いかける。

「それじゃあ約束が違うじゃないか。二人で、いつまでも歯を喰いしばって書き続けようねと、握手して約束したのを破る気かい。……寂しい時はふくろうの笛を吹いて耐え抜こうよと約束したのも、嘘なのかい……」（「ホーホー」『歓びの四季』）

年下の金重に叱られている。そして松下は書き続けよう、書き続けてみようと強く思い直すのだ。「星座」（『人魚通信』）という文章には二人の交友関係が深く強く結ばれている状況を夢のように描いている。二人で庄野英二原作の「星の牧場」の舞台を見た話。二人はその感動に胸高まらせ「若く貧しい無名な作家二人」ではあるが、こんな美しい童話を書いていこうと強く願う話。この後も松下は「光る靴」（『人魚通信』）、「折舟に乗せて」・「詩人の窓」（『絵本切る日々』）などに金重との交流を書いていく。共に童話作家を目指すこの上なく強い信頼関係が好ましく描かれている。

ただ一年に一作の家庭スケッチ集の発刊だけでは生活の基盤は揺らぐばかりであり、童話以外の目の前にある仕事に励むという結果になってしまう。依頼があったルポルタージュの作品は『風成の女たち』として結実し、これをきっかけとして松下はノンフィクション作家として地道に活動していくこととなる。金重との約束である、お金にならない「美しい童話」を書いていく道も決して諦めたわけではなく、長編の児童小説の道を選択した。一人前の作家として長編の物語を構築する努力を積んでいくこととなる。

ただ金重が指し示してくれたあえかな夢のような童話のこともいつも松下の胸の中に大事に収められていた。その思いが浮かび上がって再び小さな童話を楽しんで書けるようになるのは随分先のこと、松下の三人目の子ども、初めての女の子杏子に対する愛情あふれた幼年童話としてそれは結晶することとなる。前述した「西日本新聞」に連載した「土曜童話」全25編である。

私は松下を童話の世界に誘い、導き、励ましたのは金重剛二と次章に述べる「九州人」という雑誌であったと確信している。松下を語る上でこの両者の果たした役割の大きさを今一度見直す必要があろう。

次に金重剛二の児童文学作品について簡単に触れておこう。

金重剛二は一九四三（昭和18）年に山口県徳山市（現周南市）に生まれた。東京の明治大学に進んだ金重はまず詩作から文学の世界に入り、二冊の詩集を出す。『電車と夕日』（駱駝詩社　一九六四年）、『蜃気楼』（徳山詩の会　一九六六年）である。後、一九六七年頃からドイツの児童文学作家ケストナーに触発されて童話の創作を始めた。その第一作が『ドリーム77』（理論社　一九六九年）である。以後『銀河へのエレベーター』（理論社　一九七一年）、『とおせんぼタワー』（理論社　一九七二年）の二冊を刊行する。これらの文学活動が評価されて一九七三（昭和48）年度の山口県芸術文化振興奨励賞を受賞している。「受賞者紹介」の中で、これらの作品について選考委員は次のような評価をしている。

「科学万能の現代社会に対する風刺と、夢を忘れた現代人への警鐘」「人間尊重のヒューマンな氏の立場」「現代の交通戦争をテーマに奇想天外な物語が綴られている。」これらを受けて金重の文学を「社会童話」と定義して「現代社会への痛烈な批判」をその特徴とした。

また金重本人は「本人の抱負」で次のように語っている。

「芸術作品の底に流れるものは、不特定多数の他人との連帯だと思う。これは作品に対する考えであるばかりでなく、私の書いてきた児童文学のテーマでもある。何よりもまず人間が大切にされなければならない。機械文明に依存している現代社会では、疎外感や他人との意思の疎通の障害物は大きくなっていくばかりです。私は、こうした社会の中で人間が忘れてきた多くのものを再発見し、人間重視という観点から、作品の中にヒューマニズムを持ち込み、それをストーリーとして生かしていきたい。」

（『昭和48年度山口県芸術文化振興奨励賞受賞者紹介』昭和48年　山口県）

さて、金重は『ドリーム77』を理論社から出していた縁で編集者の小宮山量平から金重の地元山口で起こった仁保事件の真相をルポし一冊の本にまとめてほしいという依頼を受けることとなった。それが一九七〇年六月に松下の手元に届けられた『タスケテクダサイ』であった。松下が初めての児童小説『５０００匹のホタル』を出すのは一九七三年十二月のことなので、それまでに刊行された金重の他の二冊の児童小説をも当然読んでいたはずだろうが、後の二作品については松下のどの文章にも触れられていないのはどういうことなのだろうか。よく分からない。あれほど二人で童話に対する夢を語り合ってきたのに、これは不思議である。

結論を急ぐようだが松下が金重からもらったものは、貧しいながらも童話作家になろうという初心を忘れずに、日々努力していこうという精神的なものだけであって、金重の実際の作品それ自体から得たものはほとんど無かったということになるのではないか。もちろん金重の作品の良否・巧拙という問題ではなく作品全体から受けるニュアンス、さらに言えば進むべき方向性の違いから来るものではなかったか。金重の作品には「科学万能の現代社会に対する風刺」があると言われるが、私には科学技術に対する期待・羨望、そして現代・未来に対する、ある意味、楽観的な見通しなどが感じられる。たとえば『とおせんぼタワー』は道路の真ん中に巨大な塔が出現し車が大渋滞を引き起こす話だが、走る凶器とも言われた車に対する強い批判があるかと言えばそれは極めて脆弱であり、車社会を肯定しながらどうかして交通事故が減少するようにと願うばかりだ。そしてこの巨大な塔をあっという間に造ったのは地球外の、科学が圧倒的に進んだ異星人の仕業であった。その理由は道路の上に産み落とされた鳥の卵を守るためであった。

こんなことができたらいい、こんなところに行ってみたい、などという子どもたちの夢は無限に広がっていく。自分の好きな夢を見たい、違う自分に変身してみたい、そのようないろいろな願いを児童文学の世界では多く叶えてきた。金重はＳＦ的な作品でそれらに応えた。もちろん金重は「科学が進歩してあまりにそれをしんらいしすぎていると、人間はじぶんたちのかんがえていることがまちがっているのではないだろうか、という疑問さえもかんじないようになるんだ。」（『ドリーム77』）とはいうが、雲の上で「夢」を造っている「工場」の場面はオートメーション化の進んだ自動車製造工場のようであり、私はある違和感を抱いたことも事実である。松下であればもっと素朴に神様が「手づくり」で優しい言葉を唱えながら人の夢を作っているように描くのではなかろうか。

またこの作品では、一人の研究者が「好きな夢をいつでも自由に見ることができる薬」をつくって大もうけをしようとすることを批判するが、かえってこの研究者に好感を持つのは私だけだろうか。彼は自分の研究を薬品会社に売って大金を得ようとするが、それは決して自分のためではなく、精神的な病気で苦しんでいる人たちにとっての最先端の医療施設を作りたいという願いがあるからだ。どうもちぐはぐな感じがする。

『ぼくが消えた日』は道雄が「少年の科学という雑誌に〈もうひとりのきみがいる〉という題にひきつけられ」〈反物質の理論〉を知るところから物語が始まる。いろいろなものに変化しつつ最後にキンモクセイに変わった道雄は植物学実験研究所の博士ダブル・タニオカ氏によってもとの自分に戻ることが出来た　面白い科学読み物のような奇想天外な小説である。

「夢をソッと、眠る人々の頭の下に置いてくる」という「メルヘン」調の世界の美しさに松下は愛着を覚えた。松下はシャボン玉に映る姿、スプーンに映る姿が反対になることに「ふしぎだな」という思いを持つがこれを科学の力で解析し分析し全てを明らかに納得することについてはそれほど興味を持ってはいなかったといえるだろう。少なくとも文学作品の中では。

先ほども述べたが、私は金重の作品の良否を言おうとしているのではない。松下が金重からもらったものは何だろうか、という問いである。それは非常に明快である。努力して作家になろうとする誠実な姿勢、これに尽きるのではないか。

金重はその後も作品を書き続けるが（私の調査では一九八六年まで）それらの作品については松下は全く言及していない。

松下は「金重本人」にあふれんばかりの好意を寄せたのである。

以下に金重剛二の児童文学について簡単な内容を記す。

①『ドリーム77』（理論社　一九六九年十月）

雲の上に夢を作る工場があり、死んだ子どもたちがその夢を地上の人々に届ける仕事をしている。そのうち地上では「好きな夢を自由にみることができる薬」を発明しようとすることがわかる。その薬の名前が「ドリーム77」であった。

②『銀河へのエレベーター』（理論社　一九七一年十月）

クラスの嫌われ者たち「黒鳥団」がなぜかみんなに頼りにされる人間にかわってしまった。何かあると気づいた幸平らはデパートのエレベーターが宇宙へとつながるロケットであることを発見するが……。

③『とおせんぼタワー』（理論社　一九七二年四月）

突然道路の真ん中にエンピツの形をした巨大な塔ができて車が通れなくなる。

④『ぼくが消えた日』（偕成社　一九七四年九月）

道雄がある日、自分とそっくりうりふたつの子どもに出会って話は進んでいく。道雄はベンチ、けむり、くも、氷、水、キンモクセイの木などに変身し植物博士によって元の自分に戻ることが出来た。

⑤『三年生の新会長』（偕成社　一九七八年四月）

三年生のたっちゃんが子ども会の会長に選出される。たっちゃんがまずやったことは家庭訪問して子どもたちの遊び道具を取り上げることだった。受験戦争の影も。

⑥『どうぶつだんちシリーズ１　がんばるはる』（太平出版社　一九八一年四月）

『どうぶつだんちシリーズ２　にぎやかななつ』（一九八一年七月）

『どうぶつだんちシリーズ３　やさしいあき』（一九八一年十一月）

『どうぶつだんちシリーズ４　ゆうかんなふゆ』（一九八二年三月）

『どうぶつだんちシリーズ５　やくそくのクリスマス』（一九八一年十二月）

全五冊で、六歳から八歳向けの童話。動物町の動物団地に住む動物たちの生活や事件などを楽しく描く。

⑦『シェパードニック号』（太平出版社　一九八二年）
オスのシェパードニックは長野県で行われていた犬の訓練競技大会に出場していた。飼い主の南くんの入院を察知して猛然と東京へ向かって走り出す。犬と人との友情の話。

単行本で確認できたのは以上だが、他に次の短編の作品を確認した。

⑧「さよなら分校」（『子どもの広場⑥　風にのる六年生』偕成社　一九七六年三月）
※17編のアンソロジー

⑨「0チャンネルの波」（『三年の学習・科学　読み物特集』学習研究社　一九八三年七月）

⑩「ねらわれた星」（『日本児童文学』一九八五年八月号）

⑪「先生の宿題」（『ないた魔女先生三年生』ポプラ社　一九八六年十一月）
※13編のアンソロジー

❸希望としての「九州人」

一九六八（昭和43）年二月、福岡県北九州市で「文化誌 九州人」が創刊された。（終刊は一九八一［昭和56］年二月 全一五七号であった。）「九州人文化の会」発行で、編集兼発行者は原田磯夫。月刊・A5版・平均一五〇ページを目指した。九州・山口の多くの文化人が執筆し、その内容は小説・詩・短歌・俳句・評論・随筆・郷土史など盛りだくさんであった。この雑誌の一番の特徴は、地元の企業などが特別会員として名を連ね、また、「維持会員制」を採っていたことである。所定の会費を納めれば入会資格はいらず、雑誌に自由に作品を寄稿できた。（ちなみに松下が盛んに作品を発表していた一九七二［昭和47］年当時は、年額四二〇〇円）

私たちが一般的に考える、数人の気の置けない文学仲間たちとの、狭いながらも濃密な関係を保つ同人誌とは随分ちがう体裁であり、思えばこのことがかえって松下が大分中津の地から周囲を気にせず、様々な軋轢から逃れ、会員になることをためらわなかった一番の理由だと考えられる。松下が会員になった一九六八年秋はまだ豆腐屋としての厳しい生活環境のただ中にあった。会費さえ払えば「作品の採用は一切編集部に一任」とはいえ、自由に自作を投稿できるこの雑誌の存在は松下の置かれている状況から考えると最良のものだったのではないか。

松下が「九州人」に掲載した作品の全てについては後でその一覧を提示するが、それらの作品は、一九八〇（昭和55）年一月の一編を除いて一九六八（昭和43）年九月から一九七三（昭和

48）年三月にかけて発表されており、まさにこの年の十二月に初めての長編児童小説『５０００匹のホタル』を刊行したわけであり、この「九州人」を舞台に、短篇ではあるが童話の習作を多く手がけ、なかんずく発表できたということは『５０００匹のホタル』完成の大きな助走になったのではなかったか。

松下は短歌を作ることを覚え、その短歌が朝日歌壇で次々と入選して豆腐屋歌人としてその名が広まるにつれ、地元の新聞などに随想を書く機会が増えていく。毎日・西日本・熊本日日などにエッセイ・ルポを書くようになる。これらの短歌とエッセイの生活記が松下の最初の本『豆腐屋の四季』として結実し講談社から刊行されたのは一九六九（昭和44）年。後に『吾子の四季』『歓びの四季』の四季三部作が完成する。この時期の松下にとっての一番大きな事件は一九七〇年七月九日の豆腐屋廃業、そして作家として立つ、ということであった。新聞には随想・ルポなどを書いてはいたが、私はこの不安な作家宣言の中で一縷の光明としてあったのが「童話」の創作ではなかったか、と思う。松下が心を込めて紡いだ珠玉のような小作品がひとつまたひとつ、時には五編六編とまとめて活字になり、時には編集者が「後記」の中で短いながらも激励の言葉を書き記してくれる。松下にとってどんなにか心強かったことだろう。

私はこの「九州人」が松下という作家を作った一つの大きな原動力になったことは疑いもなく事実であると思われる。特に童話、児童文学の分野においては欠かすことのできないものだった。そしてこの「九州人」には後に豊前火力発電所建設反対の素人裁判をともに闘うことになる同志恒遠俊輔もその維持会員として名を連ねていた。（「九州人」には毎号、「新賛助会員・維持会員芳名」という欄があり、松下の名は一九六八年十月に、恒遠の名は一九七〇年三月に出ている。松下の方が少し早く会員になった。）恒遠は一九七〇～七一年にかけて随想など四編を発表している。松下の住む中津と恒遠の住む福岡豊前は県境の山国川を挟んで隣同士である。
恒遠は松下との出会いについて次のように書いている。

松下さんと私との出会いは、一九七〇年。彼が豆腐屋稼業をやめ作家生活に入って間もない頃である。何度かの手紙のやりとりの後に、夏の雨上がりの午後だったか、松下宅を訪ねて鶏の空揚げとビールを御馳走になりながらしばし話し込んだと記憶している。話し込んだといっても、かなりミーハーの私が、テレビドラマの『豆腐屋の四季』をひきあいにだし、「緒形拳さんにそっくりですね」などと口走り、松下さんが「あんなに逞しかったらいいんだけど……」と返し、ともかくもそんなところから会話が始まったものの、あまり口数の多くない二人の間では、沈黙の時間の方がずっと長かったのではあるまいか。

「求菩提山の麓から」（『草の根通信』第311号　一九九八年十月五日発行）

また次のようにも書いている。

彼が豆腐屋を廃業し「作家宣言」をした直後の一九七〇年の夏である。当時北九州で『九州人』という名の文化誌が発行されていて、互いにその同人であったところから、手紙のやりとりが始まり、時折私が中津の彼の自宅を訪ねたりすることとなった。

「主張微塵も枉ぐと言わなく」（『未刊行著作集４』解説）

ただ恒遠のこの文章を読むと、二人は「九州人」の会員であったという縁で出会ったように読める。確かに二人が実際に中津の松下の家で初めて顔を合わせたのは一九七〇年の夏であった。ところが恒遠は既に松下をよく知っていた。それはただ世間で評判になったあの篤実な模範青年、豆腐屋歌人としての松下の姿だけではなく、実は松下の地元中津で発行されていた（二〇一九年の現在も刊行中）雑誌「邪馬台」を通してであった。「九州人」の前に「邪馬台」があり、この雑誌の誌上でも既に二人は出会っていたということだ。それは一九六八～六九年にかけてである。

恒遠は一九六七年に早稲田大学を卒業し、福岡に戻り高校の社会科教師となった。魯迅を研究していた恒遠は、この「邪馬台」に発表の場を求めた。そして編集者であり魯迅研究者でもある大学教授横松宗を知り、後には編集も手伝うこととなる。恒遠はこの雑誌に評論・随想など十余編を発表している。

一方松下は一九六九年春号（９号）に「歌の友」（『豆腐屋の四季』所収のもの）・「記念樹」の二編を、一九六九年秋号（11号）に「大阪行」一編をそれぞれ発表している。またこの雑誌には、松下が「邪馬台新年総会」の場にゲストとして参加して「豆腐屋の四季」の話をしたという写真付きの記事が載ったり（一九七〇年春号〈13号〉）、『人魚通信』の紹介記事が出たり（一九七一年秋号〈20号〉）した。

恒遠は松下の活動に着目していて松下宛に魯迅に関して書いた文章を送ったこともあった。

さてここで一つ疑問に感じることがある。松下の地元中津で雑誌が発行されている、自分も寄稿している。それなのになぜあえて別の雑誌に入るということをしたのだろうか、という点である。

それは一言で言えば「『豆腐屋の四季』的世界」からの脱出願望であったと私は思う。とにかく繰り返し繰り返し松下が述べているように中津の町の模範青年という虚像に苦悩していたのだ。一歩踏み出し新たな文学の可能性を追求したい、自由な時間を取り戻し社会の中に打って出たい、そんな気持ちから彼は豆腐屋をやめ作家宣言をした。

松下が「邪馬台」に書いた文章は『豆腐屋の四季』所収のものと、短歌に関するもの、そして『豆腐屋の四季』のテレビドラマ化にまつわるエッセイである。「邪馬台」での自分の位置は今まで通りの豆腐屋歌人の域を出ない。松下はそう感じ、わざわざ福岡北九州の雑誌に賭けてみようと思ったのではなかったか。松下はここで「小さな童話」という試みを続けていくことになる。また人物評伝にも挑戦する。

ともあれ、松下と恒遠とはこのような雑誌の縁で結びついたのだ。

さて、松下が「九州人」に発表した全作品は以下の通り。○は童話作品。

1　一九六八（昭和43）年九月〈8号〉　随想「小さな歌集」

↓のちに『豆腐屋の四季』に所収

2　一九六八（昭和43）年十二月　〈11号〉　随想「瞳の星」
↓のちに『豆腐屋の四季』に所収

3　一九六九（昭和44）年三月　〈14号〉　随想「心濡れて」
↓のちに『吾子の四季』に所収

4　一九六九（昭和44）年九月　〈20号〉　随想「出版記念会」
↓のちに『吾子の四季』に所収

5　一九七〇（昭和45）年一月　〈24号〉　随想「テレビ化騒動記」

⑥　一九七〇（昭和45）年六月　〈29号〉　「小さな童話　初蝶」1編
↓のちに『歓びの四季』に所収

7　一九七〇（昭和45）年八月　〈31号〉　随想「美しい虫」
↓のちに『歓びの四季』に所収

⑧　一九七〇（昭和45）年十二月〈35号〉「小さな童話　耳つまむ健一」1編
↓のちに『歓びの四季』に所収

⑨　一九七一（昭和46）年三月〈38号〉「小さな童話　紅雀を買いに」6編
↓のちに『人魚通信』に所収

⑩　一九七一（昭和46）年九月〈44号〉「小さな童話　絵本を切る日々」5編
↓のちに『絵本切る日々』に所収

11　一九七二（昭和47）年七月〈54号〉「桧の山のうたびと　一　歌人伊藤保の世界」

12　八月〈55号〉〃　二　〃

13　九月〈56号〉〃　三　〃

14　十月〈57号〉〃　四　〃

15　十一月〈58号〉〃　五　〃

16　十二月〈59号〉〃　六　〃

17　一九七三（昭和48）年一月〈60号〉〃　七　〃

18　　　　　二月〈61号〉　　八　　〃　〃

19　　　　　三月〈62号〉　　最終回　〃　〃

↓のちに『檜の山のうたびと　伊藤保の世界』（筑摩書房　一九七四年九月）として刊行

20　一九八〇（昭和55）年一月〈144号〉随想「反福沢・伝」

合計、随想7編、小さな童話と銘打った作品13編、評伝1編の全21編の作品を発表した。

※注意　⑩について。松下が書いた作品名は「絵本切る日々」であり、さらに自費出版した作品集の題名も『絵本切る日々』である。ただし松下が「九州人」に発表したものは5編の総題として「小さな童話　絵本を切る日々」となっていて「を」を挿入している。この5編の中の一編は「絵本切る日々」である。松下がこの「を」に何かの意味を込めたのか、あるいは編集者の判断なのか、それは分からない。

編集発行人原田磯夫は何度か「編集後記」で松下を激励した。

○29号に初めて童話を発表した時。
この人がはじめて、童話作家の資質をのぞかせたメルヘンの世界である。

○38号に6編の童話（105枚）を発表した時。
病弱と過労のため豆腐製造業の稼業から離れ、ひたすら文筆一本に愛する家族たちをささえる筆者の、これは父性愛と詩情にみちた胸衝かれる生活記録である。

○44号に5編の童話（100枚）を発表した時。
〝四季三部作〟についで、最近〝人魚通信〟を自費出版した松下竜一氏が、闘病生活のベッドの上で書き綴った「絵本切る日々」百枚を寄せた。筆者が自ら〝小さな童話〟と名付た、感銘を呼ぶ珠玉のような短編「絵本切る日々」ほか四篇を一挙に掲載することにした。

地元中津の騒動に振り回されず、静かに一心に童話を書ける場所、発表出来る場所、そして温かく見守る編集者、「九州人」は他の新聞やテレビ・ラジオの媒体とは違った新鮮な魅力に富んでいたと思われる。「九州人」は豆腐屋の世界から広い社会へ出ようとした松下にとって「希望」そのものの存在であったのだろう。松下が後に壮絶な闘いを挑み、社会の暗部を厳しく切り取っていくノンフィクションの世界で大きな仕事を残した中でも、いつまでも心の中にあった童話・児童文学への夢。最後まで胸中に深く持ち、未来を築く子どもたちへの願いとして児童向けの作品を書き続けさせたのもこの数年の地方の雑誌への投稿が松下にとって厳しいながらも雲の切れ目の一筋の光のように思えたからではなかったか。

❹「5000匹のホタル」まで、「5000匹のホタル」から

○「5000匹のホタル」まで

一九七二年から一九七三年末にかけてのおよそ二年間、この二年間がノンフィクション作家松下竜一を誕生させた。児童文学作家ではなくノンフィクション作家である。これは私の確信である。

「5000匹のホタル」の解題の項（2❶）で述べたように、松下は一九七二年二月頃には「5000匹のホタル」のもととなる「あかつきの子ら」を完成させていた。理論社へ送って刊行を待つばかりになっていたはずなのに、その後二年間原稿は預けられたままで時間だけが過ぎていった。もし七二年の早い時期にこの作品が刊行されていたら松下の人生（作家人生）は大きく変わっていたと私は考える。なぜならこの二年間の所謂「待機」の期間に松下にとっては人生の舵を大きく切る事態にいくつも見舞われることになったのだから。とりあえず当時の松下の動向を概観してみる。（講談社文芸文庫・『図録松下竜一その仕事』などの年譜を参照）

・七〇年　夏、豆腐屋廃業、作家として立つ。金重剛二を知り、仁保事件の救済活動に尽力する。金重との友情を深め「美しい童話」を書く作家になろうと励まし合う。

・七一年　「西日本新聞」の依頼で大分新産都の公害をルポし全15回「落日の海」の題で連載

する。

・七二年　周防灘開発問題について学び、危機感を募らせ研究集会などを開催。「中津の自然を守る会」発足、事務局長となる。『風成の女たち』出版。

・七三年　「豊前火力絶対阻止・環境権訴訟をすすめる会」結成。機関誌「草の根通信」刊行。原告七名で豊前火力発電所建設差止請求裁判を起こす。上京し電調審に強く抗議。

・七四年　公判準備書面を提出。『暗闇の思想を』出版。海岸埋め立て阻止行動で三名の同志が逮捕される。

松下は「豊前火力発電所建設反対運動（周防灘総合開発反対運動）の昂揚期は一九七二年春から七四年夏にかけてであった」（「文庫版のためのあとがき」『暗闇の思想を』教養文庫　一九八五年）と述べ、また七三年から七四年にかけての怒濤のような状況を「反対運動が修羅場をむかえていた」時期、と総括する。

もう一度元に立ち戻って考えてみよう。豆腐屋をやめて何も書くものがない作家となった松下は「草深い里に籠もって牧歌的な物語なりエッセーなりを書けないか」（『その仕事7』エッセイ）と夢想していたのだ。また豆腐屋をやめて無為の日々を送る作者の胸に思うのは今の私の存在価値はなんなのか、ということであり、その答えは「やさしさ」かも知れないと思うのだ、とも言う。（『その仕事2』エッセイ）

父の童話、母の童話から導き出された「やさしさ」、また家族への愛・慈しみ、それらを金重との約束のように美しく優しい童話にして生活していこうと考えていたのである。それが七〇年、七一年のこと。『人魚通信』『絵本切る日々』の頃である。もちろん社会的活動をしたいというのが豆腐屋をやめた大きな理由のひとつであるのは確かであった。水俣のことも、仁保のことも松下の胸を強く疼かせたものだったのだろう。そしてやはり社会に目を開くきっかけとして一番大きかったのは一九七一年秋、西日本新聞の山下国誥記者が公害ルポの作家として松下を指名したこと、このことがとうとう松下を児童文学作家として誕生させなかった（ノンフィクションの作家にした）最も大きな、私に言わせると、文学的事件であった。松下が後に回想するように、この時期から松下の関心はノンフィクションへと大きく旋回していくことになる。

七三年十二月「５０００匹のホタル」がやっと日の目を見た頃、「そのときにはすでに私は社会的テーマのノンフィクションへと傾斜を深めていたので」と書くようになっていたのである。（『その仕事25』エッセイ）

理論社が二年間原稿を預かったままにせず、すぐにでも刊行し、もしその反響が大きかったとしたら松下は本当に児童文学作家としての道を力強く踏み出していたに違いない。なぜならノンフィクションへと傾斜し骨太の作品を次々と著していく松下が愛情あふれた子どもたちのための児童文学作品を、それでもその後も書き続けたのだから。短歌の抒情から出発し、生活の隅々までも克明に凝視し、世界に対する愛情と慈しみを忘れずいつまでも夢を大事にした松下にとって、童話の世界はとうてい放擲することなどできぬ暖かなぬくもりの夢のような世界、決して失くしてはならない世界であったのだ。

○「5000匹のホタル」から

児童文学作家になり損ね、それとは別にルポ『風成の女たち』を刊行して、その後に取り組んだ火電反対運動の中で『暗闇の思想を』『明神の小さな海岸にて』を書き上げ、自分の思想・行動を文章にして綴り告発するというノンフィクションへと進んだ松下にとって本当はもう児童文学の作品を書く必要はなかったというのが本音であったのかもしれない。しかし松下はその後『ケンとカンともうひとり』『まけるな六平』を書く。この二冊は現在の自分の位置の確認としての必要欠くべからざる作業であったと思われる。『ケンとカンともうひとり』は生まれてくる我が子に対するいとおしみの物語であり、自分の生活の基盤である家族がいかに大切なものであるかの確認だ。『まけるな六平』は松下の自伝ともいえる児童小説で過去の自分の生い立ち、豆腐屋稼業の過酷さ、生きることに精一杯であった労働の日々が語られる。現在の自分の位置を過去から再認識する仕事であったと思われる。

今までの自分を今一度見つめ直し今自分が生きている場所を確かめ、そうして初めてこれからの人生のスタートラインに立つという意味でこの二作品の持つ意味は大きい。過去と未来をこの一点から松下は見極めようとする。

人は岐路に立ち、右か左か自分の歩み出す一歩を選択せねばならなくなったときに頼るものは今までの人生の経験の総体、総括としての意思表示である。ここで松下がはっきり自分の行く末を決定したのだと思う。そしてそのためにはこの過去の自分の見つめ直しと今新たな命が

郵便はがき

63円
切手を貼って
お出し下さい

810-0033

福岡市中央区小笹一丁目
十五番十号三〇一

図書出版のぶ工房

「松下竜一の児童文学」
読者カード係 行

◎お名前　　　　◎年齢　　◎性別

◎ご住所　〒

◎お電話　　　　◎メールアドレス

◎購入書店名

＊お客様の情報は弊社からのご案内のみに使用します

ご愛読書カード

松下竜一の児童文学

中野隆之［著］

◎本書についてのご感想・ご意見をお聞かせください。

◎本書をお求めの動機。

1、新聞雑誌等の記事　　2、広告を見て　　3、書店で見て

4、人にすすめられて　　5、その他（　　　　　　　　）

◎直接購入申込欄

このハガキでお申込みは、送料小社負担といたします。
お支払は同送の郵便振替用紙で。

書名　　　　　　　　　　　　　　冊

書名　　　　　　　　　　　　　　冊

◎自費出版にご興味がありますか。

はい　いいえ

ひとつ家族に加わるという現在の自分の状況をしっかりと見つめる作業をやったのだとも思う。そして事実これ以後の松下の文学は自分が書き、記録として残さねばあっという間に消えてしまう世界の片隅の小さいながら、真に生きている人物評伝へと焦点を絞っていく。それらノンフィクションの作品は骨太な作品として今もその魅力は衰えていない。私たち、そして未来の読者がページを開くのを待ち続けているのだ。

児童文学のことで言えばこの後豊前火力発電所建設反対運動に関連する、どうしても書かねばならない二冊、『あしたの海』『海を守るたたかい』を書き上げ、もう期待はできぬ大人たちよりももっと誠実に未来を指向する子どもたちへの祈るような強い願いを込めた。また川崎公害について、ぜんそくの病苦にさいなまれる子どもたちの胸迫る実態を描いた『いつか虹をあおぎたい』、豊前火力発電所建設反対運動を長年ともに闘い、今は小さなさかな屋を営む親友梶原得三郎の日々を描いた『小さなさかな屋奮戦記』、千葉県習志野の谷津干潟埋め立て阻止に邁進するひとりの破天荒な志を抱いた男を描いた『どろんこサブウ』、これらの作品をもって松下の児童文学の世界は幕を閉じることとなる。

こうして松下の児童文学の系譜を眺めてみると、やはり一九七二年二月にはできあがっていた「5000匹のホタル」の原稿を理論社に渡しながら二年間音沙汰がなく過ぎ去ったこと、そしてその二年間こそ火力発電所反対運動の「昂揚」「修羅場」の時期と運命的に重なったということ、この時期こそが作家松下を誕生させ、しかしその挙げ句、「専門」の児童文学作家への、ある意味、訣別の時期であったと見て取れるように思うのだ。

2　松下竜一の読んだ児童文学

松下竜一の作品の三分類に従って、そのひとつ、「随筆」・「エッセイなど」に類する著作を読み通してみた。ここではその中に書かれた童話・民話・絵本などを紹介する。

①「星の王子さま」サン・テグジュペリ（一九〇〇〜一九四四年）

「星の王子さま」（『豆腐屋の四季』）

松下はこの童話を「大好きな名作童話」と書く。「まるで赤ん坊の瞳のように美しい」「キツネと王子さまのあの澄みとおった会話」。

松下は生後まもなくの大病で右眼の中にホシがあり、完全に失明している。それを母は「お星さまの童話」として語り、優しく諭す。こんな体験を持つ松下はこの「星の王子さま」の童話も自分の身に引き寄せて読んだのだろう。

また「びっくりぼしのおとうさん」（『右眼にホロリ』径書房　一九八八年）の中でもこの作品について触れている。松下が「ギックリ腰」になった時に娘の杏子が「先生、あのね、わたしのおとうさんはびっくりぼしでねています。」とノートに書いたという話。松下は「びっくりぼしという言葉はなんとなしに面白い。テグジュペリの『星の王子さま』の中にでも出て来そうな名前じゃないか。」と楽しんだ。松下の童話の発想はこういうところから生まれる、という一つの証にもなるだろう。日常の小さなひとことひとこと、ひとこまひとこまに絶えず心を動かしていく作業を、またそのような感性を松下は短歌の創作から学んだと思われる。

また「灯の星」（『吾子の四季』）の中でサン・テグジュペリの小説「夜間飛行」にも触れている。「星の王子さま」はフランスの作家サン・テグジュペリの童話だが日本でこの童話が多くの人々に膾炙するようになったのは内藤濯が訳した岩波少年文庫版の登場からである。サン・テグジュペリの遺作として一九四六年にパリで刊行されたものをもとに訳したと「あとがき」で述べている。岩波少年文庫の第一刷は一九五三年三月なので松下もこの本をいとおしく読んだのだろう。あのキツネと王子さまの会話は21章に出てくる。少しだけ紹介する。

「じゃ、さよなら」と、王子さまはいいました。

「さよなら」と、キツネがいいました。「さっきの秘密をいおうかね。なに、なんでもないことだよ。心で見なくちゃ、ものごとはよく見えないってことさ。かんじんなことは、目に見えないんだよ」

「かんじんなことは、目に見えない」と、王子さまは、忘れないようにくりかえしました。

②「ニルスのふしぎな旅」セルマ・ラーゲルレーヴ（一八五八〜一九四〇年）

「紫苑」（『吾子の四季』）

母は図書館を訪ねて（あるいは図書館の方に相談して）幼い松下のための本を借りた。この本もそうやって借りて読んだ一冊かも知れない。松下は本の内容を母に語り聞かせた。またそれだけではなく「自らの幼い夢で創りあげた話」も母に語った。「父も母も無学で、家には一冊の本もなかった」と言う。

セルマ・ラーゲルレーヴはスウェーデン生まれ。女性初、スウェーデン初のノーベル文学賞受賞者。

この童話は少年ニルスが妖精トムテによって小人にされ、ガチョウの背に乗ってスウェーデンを旅する話。子どもたちがスウェーデンの地理について楽しく学べるようにと書かれた本。一九〇六年に前半が、一九〇七年に後半が出版された。日本では香川鉄蔵が一九一八（大正7）年に「飛行一寸法師」という題で前半部分だけ翻訳、以後絵本や子ども向けの作品として出版されるが前後完訳はなかなか実現せず、やっと一九八二年に亡き父鉄蔵の意思を受けた実子節によって完成し、偕成社文庫版全四巻として完成したという。

松下は書く。「今回の『ニルスのふしぎな旅』を手にして、殊更に感慨が深いのは、これが我が国で初めての完訳本であることだ。これほど流布した物語なのに、完訳本が出るまでに七十五年もかかったとは。しかも訳者の香川鉄蔵氏は十四年前に亡くなり、そのご子息である節氏の親子二代の執念によって世に出されたのだ。」香川節は松下の『吾子の四季』の文章を読んでおり、全訳本完成を機に松下に本を寄贈したということだ。このいきさつについては『ウドンゲの花』に書かれている。

③『マッチ売りの少女』アンデルセン（一八〇五〜一八七五年）　「ぬくみ」（『歓びの四季』）

「一本のマッチの火がともっている間だけ、少女にはやさしい思い出の情景が展開されていったのではなかったか？」

「これは〈悲しい童話〉だ」、と松下は言う。雪の中の豆腐の配達、松下はアンデルセンのこの話を思い出す。

「夕べ私はアンデルセンの『マッチ売りの少女』を買いに行った。」「私が読みたいんですよ。」と言っているところから、この本が文庫本なら岩波文庫『アンデルセン童話集三』（大畑末吉訳一九三九年第一刷）の中に入っている。また『ウドンゲの花』（「夜に香る花」）の中に児童文庫に呼ばれて子どもたちにお話をしたが「子供たちにやさしく語りかけるアンデルセンといったふうにはいかない」という文章もある。

④『銀河鉄道の夜』宮沢賢治　『歓びの四季』

⑤『ポラーノの広場』宮沢賢治　『あぶらげと恋文』

※宮沢賢治については、この章の「4宮沢賢治体験」に詳しく述べている。

⑥『おかしのおうち』（「ヘンデルとグレーテル」）グリム兄弟

「耳つまむ健一」(『歓びの四季』)

松下の子どもの健一は一五冊の絵本を持っている。この絵本については、魔法使いの婆さんの怖さから、父・母のいない孤独の悲しさを感じているようだと松下は考える。そこから「小さな童話」が生まれた。

「ヘンデルとグレーテル」の載っている岩波文庫『完訳グリム童話集一』(金田鬼一訳)は一九七九年七月刊、その前の『改訳グリム童話集第一冊』(金田鬼一訳)は一九五四年九月刊。

ヤーコプ・グリム(一七八五〜一八六三年)、ヴィルヘルム・グリム(一七八六〜一八五九年)。

⑦『山の子海の子』吉田絃二郎(一八八四〜一九五六年)

「羽根が降る　小さな童話」(『歓びの四季』)

白鷺の羽根を本のしおりとしてはさんだ、ということでこの本が登場する。松下はこの童話集の内容については全く触れていない。ただ「読んでいた吉田絃二郎の古い童話」とあるだけだ。この童話集は一九三九(昭和14)年に第一書房から出版されている。「都の子と山の子」「信濃の子」「悲しい角兵衛獅子」「白き雲なつかし」など全22編からなる童話集である。松下がこの文章を書いているのは一九七〇〜七一年のことで、三十年ほど前の出版になり、確かに古く、おそらくは古本屋ででも見つけたのかも知れない。なお、吉田は佐賀県神埼町出身の作家。早稲田大学卒業。「金の船」「童話」「赤い鳥」などに多くの作品を発表している。

⑧『星の牧場』庄野英二（理論社　一九六三年十一月刊）　　　　『人魚通信』

松下が敬愛した作家庄野潤三の兄が英二である。児童文学作家として著名な英二の代表作がこの作品である。この『人魚通信』ではこの作品を原作とした劇団民芸の舞台を友人の童話作家金重剛二と観て感動した様が興奮した筆致で描かれる。しかし、どこまでも静かに穏やかに。二人は「美しい作品を書こうなあ」「そうですね。あのように心に沁みる美しいものを。そして作品の底では戦争への怒りの燃えているような……」と語り合うのだ。

この作品には庄野英二の戦争体験が重くのしかかっている。戦争で記憶を失ったモミイチの、牧場、あるいは山中の彷徨の様子がジプシー達との出会いを通じてファンタジー作品として美しく描かれている。

⑨「人魚姫」アンデルセン　　　　「人魚通信」（『人魚通信』）

「健一に、人魚姫の絵本を見せてやろうと、幾軒の書店をめぐった。でも、求める絵本は無くて、私は文庫のアンデルセン童話集Ⅰを買って来た。」

子どもに見せる絵本、読んで聞かせる童話としてアンデルセンやグリムの童話が松下の作品には多く登場する。もちろん松下自身も親しんできた作品だろう。

「人魚姫」の載っている岩波文庫『アンデルセン童話集一』（大畑末吉訳）は一九三八年十一月発行、全七冊の『完訳アンデルセン童話集一』は一九八四年五月発行。

⑩『浦島太郎』

「うらしまたろう」（『人魚通信』）

「実に一五年間死刑囚として世間と隔絶され、獄にあり続けた」仁保事件の岡部保。彼の無罪を訴える行動に松下も参加した。そして保釈された彼は日本各地を回って訴え続けている。その岡部が一日、松下の家に泊まって子どもの健一にお話をしてくれた。その話が「浦島太郎」だった。獄中から出た岡部こそが自分を浦島太郎のように感じたのではあるまいか。

アンデルセン・グリム同様に日本のお伽話も子どもたちに読み聞かせた話だったのだろう。

⑪『雨姫さま』シュトルム（一八一七〜一八八八年）

「折舟に乗せて」（『絵本切る日々』）

松下は妻と子どもたちと一緒に雨の中、散歩に出かける。雨の夜に海へ笹飾りを流そうとするのだ。雨にふさわしいシュトルム「雨姫さま」の絵本から切り抜いた絵を笹の葉に飾っていた。「雨姫さまは雨を降らせる役をしているが、寝ぼすけで眠り込んでしまうといつまでも雨が降らんで困ってしまう」と子どもたちに話して聞かせる。

シュトルムはドイツの作家で私たちには小説「みずうみ」でなじみ深い。日本では第二次世界大戦前後の二十年間、よく翻訳で読まれ旧制高校、大学などでドイツ語の教材として使われていた。このシュトルムが一八六三年末から新年にかけて十二日間で書き上げたものがこの「雨姫さま」という童話である。シュトルムも小さな子どもたちのためにメルヘンを読み聞かせているうちに自分でも創作しようという気になって書いたものだという。松下の場合とよく似ている。日本では戦後にいくつかの出版社から児童向けの「雨姫さま」が出ているが、松下が読んで聞かせ、切り抜いて笹に飾ったものはおそらく講談社の絵本シリーズの一冊ではなかったか。一九五七年に講談社の絵本180として「雨姫さま」は刊行されている。絵は長谷川露二、文は塩谷太郎。

※この項、シュトルムに関しては、宮内芳明『人と思想103　シュトルム』（清水書院　一九九二年）を参照した。

⑫『三年寝太郎』　　「リルロ星」（『絵本切る日々』）

冒頭に「三年寝太郎は実は作家だったんじゃないかしら、――じっと寝ている寂しさの底で、そんなことを私は考えた。」と記す。そして何も書けない私も寝太郎であると考えたのだ。三年の一見無駄な寝坊の後にすばらしい作品が描けたといえるように松下は祈るだけだ。

「三年寝太郎」は日本の昔話の主人公として有名だが、雌伏の後に金持ちの娘との結婚と富を得るという庶民の切ない願いを叶えてしまうこととなる。

岩波文庫の『桃太郎・舌きり雀・花さか爺——日本の昔ばなし（Ⅱ）』（関敬吾編）に「三年寝太郎」は収録されている。一九五六年十二月第一刷発行。もちろん日本の昔話の本はいくつも発行されているし、子ども向けの絵本も多々あった。

「絵本」（『絵本切る日々』）

⑬『ももたろう』

松下の小説として最も切ないものの一編だ。ぜひ「絵本」の原文を読んでいただきたい。長く国語教科書にも採用されていた。

亡くなった親友から届けられた「ももたろう」の絵本。この絵本は不思議な因縁で松下の子どもたちのもとにたどり着いた。

最もありふれた安い絵本、ということだが具体的にどのような体裁のものだったのか。

「雪乞いの里」（『絵本切る日々』）

⑭『八郎』斉藤隆介（一九一七〜一九八五年）作・滝平二郎（一九二一〜二〇〇九年）画（福音館書店　一九六七年）

松下の若い友人N君が作者の二人の子どもたちに送ってくれた絵本、として紹介する。松下は一言、「力強い民話」と説明する。「心優しい大きな山男八郎が、村を守るために自ら海に沈んで津波をせきとめた激しい感動的な絵本であった。」と松下は書く。

わかったあー！
おらが、なしていままで、
おっきくおっきくなりたかったか！
おらは、こうしておっきく
おっきくなって、こうして
みんなのためになりたかったなだ、
んでねが、わらしこ！

「みんなのためになりたかった」という八郎の言葉はきっと子どもたちに強く生きる勇気と優しさを教えるに違いない。

⑮『皇帝の新しい着物』アンデルセン
「裸の王様」(『いのちきしてます』)

「松下センセはさながら、あのアンデルセン童話の王様のように赤面していた。「あっ、王様は裸だぞ」と、子供たちからはやしたてられた、あのおろかでみえっぱりな王様のようにである。」
「その真の姿は、児童たちが遠慮会釈なく見抜いてみせた通りなのだ。」

作者は自著『5000匹のホタル』の読書会に呼ばれる。子どもたちの書いた感想文は全く痛烈なものであった。子どもたちに「見抜かれている松下センセの、なんとあわれにみじめな姿であることか」。二度と講演はしたくないと松下は思う。

「皇帝の新しい着物」は⑨の「人魚姫」と同様に、岩波文庫では『アンデルセン童話集一』に入っている。松下はこの文庫本を持っていたのだろうが、やはりこの「裸の王様」は幼児向けの絵本を我が子と一緒に見て、読んで楽しんだのだろう。

⑯『ハメルンの笛吹男』グリム兄弟　　　　「夜のたて笛」(『ウドンゲの花』)

松下の娘杏子が兄のカンにたて笛を吹いてくれとせがむ。「ハメルンの笛吹き男」の話を母に読んで貰ったからだ。松下は「ドイツの古都ハメルンに現われた笛吹き男が、その笛の音で町中のネズミを連れ出して海に誘い込んだというあの民話の絵本」と書いている。

この話はグリムの童話集ではなく、蒐集した伝説集に収録されている。ネズミを退治した後に報酬を払うことを渋った市民たちに対してこの笛吹男は町の子どもたちを笛で誘って子どもたち共々遠くへ去っていく。

グリムやアンデルセンなどの古典といわれている作品を松下も教養として読み、また子どもたちにも親しく読み聞かせ、或いは絵本を与えていたと思われる。なおグリムの伝説は桜沢正勝・鍛治哲郎訳『グリムドイツ伝説集』上下巻（人文書院　一九八七年）に詳しい。

⑰『こわさをしるために旅をした男のはなし』グリム兄弟

「われに涙の」（『ウドンゲの花』）

斎藤茂吉の短歌「さ夜なかにめざむるときに物音たえわれに涙のいづることあり」を引用して、松下は自分はこのような涙はない、と自覚する。かつてはそうではなかった。「ゾッとするようなこわさがどんな感情なのかどうしても分からずに、その体験を求めて旅に出る若者の話がある。」と述べ自分はこの喪われた涙を求めてどんな旅に出ればいいのかと自問する。松下四十五歳の想いである。

岩波文庫の『グリム童話集』では第一冊の中に「こわがることをおぼえるために旅にでかけた男の話」という題で出てくる。

⑱『眠り姫』ペロー　（一六二八〜一七〇三年）

『あぶらげと恋文』

豆腐屋稼業の中で父と義母ら、そして兄弟たちとのすさんだ荒れた生活が続く。長男の松下はどうしていいか分からない。「このまま眠り姫のように十年間をこんこんと眠れないものだろうか。十年後に目覚めればなにもかもが解決していて……。そのためには私の青春なんてふっ飛んでもいい。」と書く。このような気持ちは多かれ少なかれ一度は誰しも感じるものかも知れない。しかし、「眠り姫」の童話のように彼女を百年の眠りから目覚めさせてくれるような王子様がこの世にいるとは決して限らないのだ。

松下は「眠り姫」と表記しており、多くの子ども向けの書名もそうなっているが、ペローの題としては「眠りの森の美女」が有名である。グリムでは「いばら姫」の題で通っている。ペローはフランスの作家でドイツのグリムよりも百年ほど前に童話集をまとまった形で刊行している。「赤頭巾ちゃん」「青ひげ」「長靴をはいた猫」などが有名である。岩波文庫『ペロー童話集』は新倉朗子の訳で一九八二年に刊行されている。もちろん松下が読んだ本はこの訳ではなく、おそらく子ども向けに書かれたものか。

さて、膨大な読書量を誇った松下のことだから、当然児童文学の著書も読みあさったに違いない。自分の子どもたちのために読み聞かせたお話も多かっただろう。その傾向を見てみると古典・名作と言われるものが主になっているようで特に真新しいものはない。これらの作品が子どもたちのためになるばかりでなく、松下の童話の実作の基盤になっているのは間違いなかろう。

また、今回取り上げた著作中には登場してこなかった作者・作品についても松下はそれらの本にまつわる思い出やわくわくとした感動を多くの文章で述べている。たとえば『その仕事25』（エッセイ）には幼少期からの松下の読書の遍歴が詳しく述べられている。この中に石森延男の「桐の花・グズベリ」・「ふしぎなカーニバル」も載っていて興味深い。北海道での幼少時代を新鮮に描く自伝エッセイともいえる「桐の花・グズベリ」などは松下が本当に描きたかった児童作品のひとつの典型ではなかったか。この両書ともおそらく角川文庫版で読んだのだろう。『ふしぎなカーニバル』は一九六八年、『桐の花・グズベリ』は一九七〇年刊である。

3　庄野潤三のこと

松下は一九七〇（昭和45）年七月に豆腐屋を廃業し、筆一本の生活に入るが、書くことがない。今までは豆腐屋の生活を短歌に詠み、生活スケッチを綴ってきたわけだが、成果として手許にある歌や随想の類は豆腐屋家業の一青年としての記録としては貴重なものであるが、その仕事を辞めた今、書くべきものとて何もなかったのだ。しかし何も書けぬままにそれでも書かねばならぬという強い意思を持ち続けた松下は一人の作家、庄野潤三の作品と出会うことになる。

松下は何もすることのない、妻と子どもたちとの毎日を「童話的生活」「童話めいた日々」と呼びこの生活をそのまま書き込んでいこうとする。しかし反面こんな些末なことを書くことだけでいいのか、という疑問も当然起こってくる。自信のない日々の中で松下は庄野の作品を読む。以前松下は『人魚通信』に「庄野潤三先生の『クロッカスの花』を読んでいた。」と書いている。庄野が一九五五年に「プールサイド小景」で芥川賞を受賞した作家であることから「先生」という敬称を使っているのだろう。

ただ、今松下が興味を持ちながら読んでいるのは『クロッカスの花』（冬樹社　一九七〇年）のような随筆集ではなく『夕べの雲』（講談社　一九六五年）・『小えびの群れ』（新潮社　一九七〇年）・『絵合せ』（講談社　一九七一年）などの短編の小説集であった。

松下は一九七〇年十一月六日の日録に〈午后、庄野潤三『小えびの群れ』を読む。目をひらかれた思いあり〉と記していたことを挙げ、次のように回想している。

『小えびの群れ』は短篇集だが、作家である父が三人の子ら（健一や歓よりずっと大きいが）の日常を描きながら、たとえばそこにグリム童話をからませるといった彩りが添えられて、日常のなんでもない些事が忘れ難いシーンへと昇華しているのだ。

（『その仕事2』エッセイ）

松下は「目をひらかれた思い」ではなく「意を強くした思い」であったと述べている。松下は作品「耳つまむ健一」（『歓びの四季』）について「幼い健一が誰彼の耳をつまんでは喜ぶという事実を核にして、わずかに童話的彩りを添えたのが「耳つまむ健一」で、これも偶然ながらグリム童話まで引用していた。」と述べ、庄野作品との符合、類似を好ましく、ありがたく感じている。そして「二人の幼子を中心とした日常をみつめて、そこに少しばかりの童話的空想をしのびこませる」作品を書いていくことに自信を持つようになる。松下の作家としての出発点における庄野潤三作品との出会いは実に大きなものと言わざるを得ない。
実は松下と庄野とはいくつもの共通点があり「作品」上での二人の邂逅は運命的なものを感じる。
・詩、短歌から散文に移行したこと
（庄野は詩、松下は短歌から文学的出発をした。）
・チャールズ・ラムやウイリアム・サローヤンなどの作家に心酔していたこと
（二人の著作の中にこれら文学者に言及している。松下は敬慕するラムの名を愛犬の名前とした。）
・梶井基次郎や小山清の作品を敬愛していたこと
（松下は梶井の「檸檬」「城のある町のはなし」・小山の「落ち穂拾い」などの作品を愛し、このような作品を一編書ければ死んでもいいと常々思っていた。また庄野も梶井の作品に「生命力の豊穣さ」「詩的直感力」を感じ〔『自分の羽根』〕、小山についても「彼は、片隅にいて健気にその日その日を生きている人たちへの共感を語り、自らもつつましく、ささやかな浄福を求めて生きようとした作家であった」〔『クロッカスの花』〕と述べている。）

そしてこの時期の松下のある意味救いとなった次の点。

・たわいのない日常を描くこと

（庄野は「夕べの雲」を新聞に連載するにあたって次のように書いている。『いま』を書いてみようと思っている。漠然とそういう大ざっぱな考えは決まっている。その『いま』というのは、いまのいままでそこにあって、たちまち無くなってしまうものである。その、いまそこに在り、いつまでも同じ状態でつづきそうに見えていたものが、次の瞬間にはこの世から無くなってしまっている具合を書いてみたい。」（「著者から読者へ『夕べの雲』の思い出」『夕べの雲』講談社文芸文庫）。また『明夫と良二』（岩波書店　一九七二年）の中で、「いつも家にいて、本を書いたりこれから書く本のことをいろいろ考えるのが彼の仕事であった。」と記しているが、松下も全く同様なことを考えながら日々を暮らしていたのだ。）

・作品の中に詩的ふくらみ、童話的なものなどを入れていること

（たとえば庄野が取り上げているグリムの作品は「こわがることをおぼえようと旅に出た男の話」「ヘンゼルとグレーテル」「水牛の革の長靴」「金の毛が三本はえているおに」などがある。庄野は「家族日誌」のようにこれらの短編を書いてきた。「ささやかな日常に詩的空間のふくらみを与えようとした」〈「著者から読者へ『絵合せ』の素材」『絵合せ』講談社文芸文庫〉とも書いている。）

今回私は講談社学芸文庫版の庄野の二冊の小説集（『夕べの雲』・『絵合せ』）を読んでみたが、これでもかと思うくらい童話や民話などを引用し、それが単なる引用に終わっておらず、作品

本来の筋と、引用された、たとえばグリム童話が相互に補完するような働きをしていて何ともいえず楽しく豊かな気持ちを味わうことができた。よく言われているように神話・民話・童話の類はそれぞれの民族が持つ最も本質的な精神が簡潔な言葉の中に凝縮されたものである。子どもたちはそれらの話から「生き方」を学ぶのだ。

「野菜の包み」という作品がある。作者は部屋の段ボールの箱や紙屑箱や野菜の入ったハトロン紙の細長い包みなどのかげでねずみが身を潜めているのを見つける。ねずみが逃げられないように妻に部屋の戸を閉めさせ、布団たたきを持って来させねずみを叩こうとする。「妻は居間へ入って襖を少しだけあけると、こわごわこちらを覗いた。」で終わっている。ただそれだけの筋の中に「ハメルンの笛吹き」（グリムの蒐集したねずみ退治男の伝説）、「ねずみ捕りの男」という十七世紀のオランダの画家の銅版画、さらに昔読んだドイツの漫画本に載っていたねずみ、子どもが歌っていた「三びきのねずみ」という唱歌などの話が自在に展開する。

このような楽しく、読み終わって滋味を感じるような佳作の短篇、おそらく松下もそういう作品を書いていこうと思ったのだろう。

また、次のような逸話もある。松下はそんな思いで書き綴った作品を「九州人」という雑誌に発表し、その雑誌を新潮社に送ったという。「庄野作品といささか似ているつもりです」と書いて送ったその返事はつれないもので「成程似たところはありますが表現力に大きな差があります」といって断られ、出版には至らなかったと回想する。（『その仕事2』エッセイ）その後二、三の出版社にも送るが採用されず、やむなくこれらの短編集を自費出版『人魚通信』『絵本切る日々』の二冊として出すことになる。後の話だがこの二冊の本から18編を選んで筑摩書房から『潮風の町』として出版された。さらに講談社文庫からも。

本書の第一章1童話❶「小さな童話」で紹介した作品がこの時期に書き、松下自身が「童話」と名付けたものに相当する。ぜひ『歓びの四季』『人魚通信』『絵本切る日々』で味読してほしい。

松下はこのように庄野の作品に勇気づけられ生活メルヘンともいうような作品を書いていくが、この後松下はこのようなスタイルの作品はしばらくの間書くことは出来なかった。それは松下が、もう一つの大きな作品の流れに乗らざるを得なくなるからだ。ルポルタージュ・ノンフィクションの作家として松下は地元大分の公害の現場へ赴き記録し続けるという作業を始めるからである。また冤罪で苦しむ人を救う活動や後に松下の足下をゆるがす巨大開発に対する反対運動へと歩を進めていく。

前述のエッセイに「世間の風から二歩も三歩も退いた位置で、私の〈想い〉はおのずからメルヘンへと染まっていくのだった。」と書いた松下であったが、そんな穏やかな「位置」を捨て、彼は「世間の風」の中へ飛び出していくことになる。

松下に、もう今までのような夢の作品を書いていくわけにはいかなくなった、とまでいわせる怒濤の時代に入っていくのである。

4　宮沢賢治体験

松下はその著作の中で宮沢賢治（一八九六～一九三三）の次の作品に触れている。（大人向けノンフィクション作品を除いた児童文学・エッセイなど。）

①『銀河鉄道の夜』（『歓びの四季』）

②『ポラーノの広場』（『あぶらげと恋文』）

③『雨ニモマケズ』（『海を守るたたかい』）

松下が宮沢賢治を熱心に読みふけっていた、という記録はその著作からも年譜からも見つけることはできない。驚異的な読書量で、大げさではなく、本を読むことだけが生き甲斐であった幼き、若き時代から、そして豆腐屋として働く立場になってもその読書熱は衰えることはなかった。欧米の小説を特に好んだがおそらく古今東西の古典から名作といわれるものはおおよそ読み通していただろう。松下が結婚し、小さな子どもたちとの「童話のような」生活が始まるとその子どもたちに読み聞かせるために絵本や童話、昔話、伝説、お伽話などの類にも興味を持ち、ひいてはそれらが自作の「童話的」作品の基盤にもなったことは既に述べた。その中で当然宮沢賢治の童話、絵本にも触れる機会があったと思われる。

では松下は賢治の作品をどの本で読んだのだろうか。

賢治の全集は死後すぐに刊行され始めた。文圃堂・十字屋書店・組合版などが続いた。ただし初期のこれらの全集は発行部数も少なく、なにより賢治の名前がまだ浸透していない中、なかなか全集に手を出す読者も少なかっただろう。賢治の名を、作品を、そしてその求道的な生き方を全国的に広めたのは松田甚次郎『宮澤賢治名作選』（羽田書店　一九三九年）と映画「風の又三郎」（島耕二監督　一九四〇年）であったと言われている。

名前が徐々に浸透した時に人々がその作品を読むのに利用するのはまず文庫本だろうか。松下がどの本で宮沢賢治体験をしたのかは特定できないまでも、まず刊行された岩波文庫で読んだのではないか。谷川徹三編の岩波文庫は『宮沢賢治詩集』（一九五〇年）・『風の又三郎』『銀河鉄道の夜』（一九五一年）の三冊である。尚この文庫本には「ポラーノの広場」は収録されていない。文庫ではこの後角川書店、新潮社などからも続々刊行されることとなる。

もう一冊賢治が手に取ったと思われる本がある。それは角川書店の『昭和文学全集14　宮澤賢治集』（一九五三年）で、この本には、「ポラーノの広場」「風の又三郎」「銀河鉄道の夜」「グスコーブドリの伝記」と並び、童話や詩、戯曲から手帳まで幅広く収録しておりこの時点では格好の入門書であろう。「雨ニモマケズ」も、後に述べる「精神歌」も載っている。

松下も古本屋で一冊、一冊文庫本などから買いそろえていったのではなかったか。

① 「銀河鉄道の夜」

『歓びの四季』の中に「美しい本」という文章がある。その中に、松下が「美しい本を一冊書いたら死んでもいい」と言っていることが末弟満との会話の中に出てくる。これは松下が「つらさに耐えきれずに家出し、結局死にきれずに帰って来て」、その後満と会話を交わした、その中である。「年譜」では一九五八（昭和33）年二十一歳の時、弟の一人と争って家出し「小倉の街をさまよった果て、映画『鉄道員』を見、自殺を思い止まり、帰る。」と記されている。当時の松下家の実情やその時松下がどのような思いで生きていたかについてはここでは述べない。ぜひ「四季三部作」そして松下の日記の抄出である『あぶらげと恋文』を読んでいただきたい。「美しい本」をまだ書けていない以上、松下は死ぬことはできなかった。

「おれには、どんな美しい本が書けるんかなあ？」

「さあ。……いつか竜一兄ちゃんが読んでくれたろ？　宮沢賢治の『銀河鉄道の夜』……あんなんじゃないかなあ」

「いや、だめだだめだ、とても、あんな美しいもん書けん」

さらに松下は次のように書く。「私には、『銀河鉄道の夜』はあまりにも遠天に輝く美しい星であった。」と。

しかし次のようにも思う。

私は〈美しい本〉を書きたいと憧れるあまり、『銀河鉄道の夜』にこだわりすぎていた。遠い空の星や雲や虹や花々や、美しい健やかな人々のことばかりに想いをめぐらせていた。

そして今の自分はそういうものでなく「自分自身の労働世界」を、「おのが生活」を書かねばならぬと思い、一つ一つ書きためたものが松下の第一作『豆腐屋の四季』として結実する。「〈美しい本〉とは、似ても似つかぬ傷だらけの」「生活記」であると言う。

この「美しい本」という文章の結びでは「もうあれから十年を過ぎてしまった。でも、おれはあきらめてないよ。いつかきっと、『銀河鉄道の夜』みたいに、美しく悲しい本を書くから」と強い決意を再度述べている。

松下は「銀河鉄道の夜」を「美しい本」、というが、その具体的な事柄については一切触れていない。この作品がジョバンニやカムパネルラなどという西欧的な響きを持つ人物が登場して、遙か銀河を走る鉄道に乗って旅をするという内容からは確かに美しい幻想的な、それこそ星・雲・虹・花の美しさがちりばめられているきらびやかな作品とも見えよう。しかし忘れてはならないのはこの二人の銀河鉄道の旅はジョバンニのみる夢の中でのできごとであったということだ。この列車は死者を乗せて宇宙を走る。カムパネルラは友人を救うために川に入り溺れて死んだということを夢から醒めたジョバンニは過酷な「現実」として知ることとなる。

ジョバンニの現実といえば父は行方不明で監獄に入れられているという噂が立ち、母は病弱で伏せっているようだ。一度登場する姉の存在も極めて稀薄である。ジョバンニは生活のために印刷所で働き、疲れ果て友だちと遊ぶ余裕もなく学校の勉強にも身が入らない。学友からはからかわれ仲間外れにされる。そのような現実の中で「本当の幸せ」を希求するというテーマを持つこの作品は、決して〈美しく〉はなかろう。

そのきらびやかで幻想的な空の果てを走る銀河鉄道はあくまでも夢の出来事であり、夢から醒めたジョバンニは親友カムパネルラの死を知り、今とりあえず最も重要なこと、牛乳を取りに行って母に飲ませる、という「仕事」のため一心に走り出すのだ。

松下はこの作品をどのように読み取ったか明らかにしていないが、自分の書くべき美しいものとして、さらに死ぬことをやめる一つの目標としてこの作品の名を挙げていることに、私はしみじみとした感動を受けるものだ。今書くべきは「生活記」であるとしても究極のめざすべき遠天の星として宮沢賢治のこの作品は松下の心の中にずっと輝き続けたのだと思う。

ここで、「銀河鉄道の夜」の本文成立について少々述べてみたい。実はこの作品は未完成で、現存する八三枚の草稿が錯綜し、賢治の手入れが複雑でなかなか「正しい本文」を決定することができなかった。一九七三（昭和48）年から刊行が始まった筑摩書房の『校本宮澤賢治全集』においてこの作品は今私たちが読むような「決定稿」としてやっと現出したことになる。だから松下が読んだのではないかと想定した岩波文庫本や角川の「昭和文学全集」本ではこの「決定稿」とは若干異なった本文であったということである。その違いはいくつもあるが、最も大きなものは、ジョバンニの銀河鉄道の旅がブルカニロ博士の実験であったという点にある。さらにカムパネルラの入水についても「初期稿」では銀河の旅に出る前に明かされていたものが「決定稿」では夢から覚めて丘から下ったジョバンニにそのことが告げられるという流れになっている。「銀河鉄道の夜」の本文の成立に関わる詳しい内容はぜひ『校本全集』さらに『新校本全集』の校異にあたってほしい。そこには興味深い事項が多々明らかにされている。

ともあれ若き松下が憧れた「美しい本」、この「銀河鉄道の夜」は類い希な傑作として今もますます輝いていると言ってよい。

②「ポラーノの広場」

『あぶらげと恋文』は若き松下の日記を抄出したものだが、その青春日記の一九五九（昭和34）年九月十二日の日記に「ポラーノの広場」が出てくる。この日は午前二時から起きてあぶらげを揚げる。眠いので四時過ぎに小一時間仮眠する。その後に「昼、宮沢賢治の『ポラーノの広場』を読む。童話が書けないかと、しきりに胸が騒ぐ。」と記している。

過酷な豆腐屋の一日の生活の中で、時に映画を見て本を読むくらいの楽しみしかない。無性に美しい童話を書きたくなったのだろう。松下は後に短歌を知り自分の思いを三十一文字に込めていくが、それはまだ先のことである。ここでも松下はこの「ポラーノの広場」について細かなことは一切述べていない。ただ参考になるのは一九五八（昭和33）年三月三日の日記。

二階にあがり灯をともさずにいると、四角の天窓に積んだ薄雪を透して月光がさしこんでいる。窓を開き冷い夜空を仰げば、月は耿々として星々が美しく沈んでいる。私に童話が書けないだろうか。

夜空の美しい星々や輝く月、必死に生きているこの現実の世界の遙かかなたの上方にこんな美しい空がある。その天上の世界は現実のあまりにも小さなつまらぬこと（人はその中で生きているのだが）を捨て去り汚れのない澄明な世界ではないか。あの「銀河鉄道の夜」の世界を自分も書きたいと願ったのだろう。現実逃避かも知れぬが、本当に逃げ出したいほど辛く切ない青春時代を送っているのだ。それでもその心中にぴかっと光る輝きの芯を持っていたことを私たちは後にその文学作品で知ることになる。

岩波文庫にはこの作品は入っていないので角川の「昭和文学全集」に拠ったのかも知れない。この全集は「銀河鉄道の夜」「ポラーノの広場」「風の又三郎」などの賢治の代表作が並んでいる。おそらく一続きの童話の流れのまま松下もこれら作品群を読んだのかも知れぬ。

「ポラーノの広場」では若者たちが協同組合を作り、自分たちこそ新しい時代を作るのだというテーマがあるが、松下が強く興味を持ったのはもっと別のものであったのかも知れない。

ロザーロ、キュースト、ミーロ、ファゼーロなどの登場人物の名は外国風のおしゃれな雰囲気に包まれている。そしてつめ草の番号を数えてポラーノの広場に行き着くというファンタジーのような作品。ポラーノが北極星のことだとすればこの作品も天上に近づいていく物語とも読めよう。たとえそこがデステゥバーゴの選挙目当ての酒盛りの買収場所であろうとも。さらにキューストのロザーロに対する恋慕の情も濃く薄く語られる。

松下は豆腐作りのために夜中に起き出し仕事にかかる。その夜の世界を仰ぎ見て自分の先々の夢を強く誓ったのだ。きっとあの星々の世界を書いていこうと。

③「雨ニモマケズ」

児童向けノンフィクション『海を守るたたかい』の中に宮沢賢治の「雨ニモマケズ」に言及している箇所がある。「ツマラナイがやめられない」の中十ページにわたって『草の根通信』第62号（一九七八年一月五日発行）に松下が書いた「東ニ病気ノコドモアレバ……」と題する文章をほとんどそのまま引用している。環境権裁判の証人に呼んだ生井正行のことを書こうとしてこの作品に言及した。大阪の多奈川火力発電所によって多くの健康被害患者が発生していて、生井はその被害者に寄り添い世話をして患者会も結成した人物である。一九七七年当時五十二歳。岬町水道課の嘱託検針員をしている。

生井が公害患者の世話に明け暮れていることに対して松下が「どういう気持で、そこまでなさるのですか」と尋ねたところ、生井は次のように語った。

「ほら、宮沢賢治の詩にあるでしょうが。ああいう心境に近づきたいということなんです」

松下は、この詩とは「雨ニモ負ケズ」であることは問うまでもないとして、引用する。（松下

は〈雨ニモ負ケズ〉と表記するが正しくは〈雨ニモマケズ〉である。以下の引用も松下の表記のまま）

アラユルコトヲ
ジブンヲカンジョウニ入レズニ
ヨクミキキシワカリ
ソシテワスレズ
野原ノ松ノ林ノ蔭ノ
小サナ萱ブキノ小屋ニイテ
東ニ病気ノコドモアレバ
行ッテ看病シテヤリ
西ニツカレタ母アレバ
行ッテソノ稲ノ束ヲ負イ
南に死ニソウナ人アレバ
行ッテコワガラナクテモイイトイイ
北ニケンカヤソショウガアレバ
ツマラナイカラヤメロトイイ

実際に裁判を継続している松下は特に最後の一節について次のように嘆息する。

「訴訟とはつまらぬものである。環境権裁判丸四年を経過して、しみじみそう思う。だがいまや、そのつまらぬ訴訟にも力をつくさねばならぬというのが、この国のありさまではないか。」そしてそれに続く次の文章は、おそらく活字になったもので唯一松下が人間宮沢賢治について語ったものではなかろうか。

「宮沢賢治という人は、さいわいにも公害という現代の醜悪を見ずに亡くなったが、もしいまに存在すれば、それこそおのれを捨ててオロオロと病者に寄りそうて行ったにちがいなく、つまらぬソショウにも加担していったであろうと思われる。」

「雨ニモマケズ」は賢治の手帳に残されていたメモである。(「雨ニモマケズ手帳」と呼んでいる。)題はなく、書き始めのページの右上に11・3と書かれているので賢治が死ぬ二年前の一九三一年十一月三日に病床で書かれたものと考えられている。

このメモは賢治が生涯の最後の場面で自分の人生を顧みて、こうありたかったと願った祈りの言葉である。「サフイウモノニワタシハナリタ」かったが、それができずに死を迎えようとしている諦念と無念の感情である。とは言いながら、自分の身を投げ打って農民たちの幸せのために悲愴な努力をし、寿命を縮めたであろうことは事実であり、私たちは賢治の年譜を読むたびに胸を痛くする。ソショウはつまらぬもの、しかしその場におればおそらく賢治も弱者のために身を投げて走り回っただろうという松下の言は正しいと思う。

○「精神歌」のこと(ただし、松下は「精神歌」のことについては全く触れていない。)

松下は反公害活動の中で、日本各地の活動家たちから、或いは師事した記録作家上野英信から賢治のことを聞いていたかも知れない。たとえば宮崎の土呂久のヒ素被害の有様を克明に記録した、これもまた上野英信に連なる記録作家川原一之は「西日本新聞」に連載の「山峡のシンフォニー」33（二〇一八年一月二十三日付）で次のように述べている。川原が一九七五年四月に初めて上野に会った時のこと。

その日、酒も進んで話が宮沢賢治の農民芸術論に及んだ時、英信さんは「じゃあ、私が一つ歌って差し上げましょう」と言って、突然歌い始めました。「日ハ君臨シ／輝キハ／白金ノ雨／ソソギタリ……」。初めて聞いたその歌が、「花巻農学校精神歌」であることは、賢治の全集を見て分かりました。

宮沢賢治が歌詞を書き、川村悟郎が曲をつけたこの「精神歌」は、今でも稗貫農学校・花巻農学校の流れをくむ花巻農業高校でも歌われているし、また多くの花巻市民が折に触れ口ずさんでいる。この曲は農学校開学当初歌う曲のない生徒のために作ったものだ。後に、校歌に、と懇願されたが賢治はとんでもないと言って固辞したという逸話も伝わっている。

上野がいう「農民芸術論」とは賢治の「農民芸術概論綱要」のことだろうが、実はこの「綱要」も「雨ニモマケズ」や「精神歌」も私たちが想像するよりも極めて早い時期に活字となって流布している。賢治の残した原稿の整理・確定は、完全本ともいえる『校本宮澤賢治全集』を待たねばならないが、死後すぐに「不十分」ではあるが人々の目に触れるようになってきた。その上野英信は進学した満州建国大学において賢治の「精神歌」と出会っていた。上野は一九四一（昭和15）年入学である。

建国大学一期生に岩渕克郎（いわぶちかつお）がいた。岩渕は岩手県東磐井郡猿沢村（現・一関市）の出身で水沢農学校卒業。岩渕を賢治が教鞭をとった花巻農学校出身とする資料があるが、間違いである。同郷の賢治に心酔していた岩渕は、この広大な敷地を緑で満たそうと大規模な植樹活動を行った。その作業の中、学生たちは岩渕の紹介で知った賢治の詩や童話を朗読し、また「精神歌」を力一杯歌ったという。ただもともと岩渕は楽譜が読めず、ロシアのセレドキンという学生に習ってそのメロディを歌った。建国大学の学生の間では賢治の作品は言うまでもないが、何よりも農業に対する強い情熱に共感する者が多くなり、後には農訓での講話や哲学講義の中でも賢治が取り上げられるようになった、という。

こうした下地の中、上野英信は進学してきたのである。上野も賢治に心酔し、賢治が目指した農民芸術の精神を羅須地人協会の活動や「農民芸術概論綱要」の神髄を見極めながら筑豊の風土に根付かせようと努力したのだろう。

東北の地で、そこで働く農民らのために死力を尽くした賢治の姿や思想は、満州の土地で盛んに農作業に邁進し、さらに筑豊の炭坑を見据え続けていた上野にも共感できるものがあったと思われる。賢治の作品を読み続けていくうちに賢治に対する深い尊敬の念がさらに増してきたのではないか。

川原は「筑豊の記録作家が宮沢賢治作詞の歌とどこでつながっているのだろうか。」と思う。地方を基盤として、その地で体得した知恵と経験の積み上げの結晶としての言葉。それは日本の北と南に離れていようが相通ずるものがあると上野は考えていたのだろう。川原は「明治以降の九州は、繁栄する中央の対極にあって、貧困や害毒や忍従をおしつけられる土地であった。」とも書いている。（「朝日新聞」二〇一八年二月十日付）

そう、賢治も、英信も、そして松下も「近代の闇」を共に感じていたのかも知れない。松下が上野に会うのは一九七二年のことであるが、ひょっとして松下もこの「精神歌」で歓待されたのかもしれないと考えることは楽しいことである。松下の賢治享受に師上野英信の建国大学時代からの熱い思いがあったのは間違いあるまい。

※建国大学の「精神歌」のこと、また岩渕克郎のことは、及川昭「精神歌をうたう旧満州国・建国大学の学生を追う」（『花巻史談』第32号　花巻史談会　二〇〇七年）を参照にした。

さて、松下の著作の中にあらわれた宮沢賢治の姿は、ごくわずかなものであったが、その精神的な高さと類い希なきらびやかさを持つ作品群に圧倒されたに違いない。宮沢賢治に出会ったことで、松下の思想や行動が、より一歩、地人の側に向かったことを私は信じて疑わない。

おわりに

私は二〇〇五（平成17）年の時点で、松下竜一の思い出について次のように書いている。

松下竜一のことを書こうと思う。私はもう随分前から松下竜一の児童文学について短い文章を書きたいと思っていた。しかし怠惰な私はそのまま書けずにうちやっておいた。この間に、私の本棚にある松下の本には一通りは目を通したのだが、それでも何も書かないまま今日まで来てしまった。私は迂闊にも、松下はあの病の体でずっと生きていくだろうと思っていたのだ。松下は全集も出版しこれからも旺盛に文筆活動を続けていくだろうと思っていた。

松下と同様に私も生来人見知りで恥ずかしがり屋である。何度か松下とお会いして短い会話を交わしたことはあったが、中津の自宅まで出かけていって話を聞くなぞということは私の性格からしてあり得ないことであった。私は大分中津とそれほど遠くないこの福岡の地から松下の仕事をじっと見つめるということに徹していた。

松下は突然のように亡くなった。二〇〇四（平成16）年六月十七日のことである。闘病中ということは新聞にも報道され知っていたがこんなに早く突然に亡くなるとは思ってもいなかった。私は勇気を奮って、松下にその児童文学について話を聞かねばならなかった。永久にその願いは潰えた。

私は少しずつだが松下の児童文学について書いていこうと思う。松下の大きな仕事のうちのほんの一部と思われているかも知れぬ。それでも松下が童話・児童文学に託したものは何だったのか、何を子どもたちに期待したのか、私はできる範囲でゆっくりその作品を再読し考え続けていきたい。

まず松下のことを書こう。先ほど述べたように私は何度か松下に会った。その時のことはよく覚えていないのだが、記憶を辿りながら思い出していきたい。

○私は一九五五（昭和30）年に生まれた。松下より十八歳年下である。高校は豊前市の築上中部に通ったので実家のある椎田から宇島まで二駅間の電車通学であった。宇島駅の北側（海側）には九州電力の築上火力発電所が高く聳え南側には駅前広場のロータリーがある。私はここで胸に豊前火力反対の文字があるゼッケンを付けビラ配りをする数人に何度も出会った。一九七一年から七三年の三年間のいずれかの時である。松下の年譜を見ると七二年から周防灘開発に関する反対集会、自然を守る会の発足、「海を殺すな」という小冊子の発行など、発電所に反対する取り組みの記事が多くなる。裁判所に訴訟を起こすのが七三年八月のことであるから、私の高校三年の頃、松下はこの運動の中に身を投じていたのだ。

国鉄宇島駅前のビラ配りの中に松下もいたのだろうか。私はそのビラを受け取ってその主張を理解し、胸を痛めたのだろうか。

○高校時代の英語教師に釜井先生がいた。松下と共に訴訟を起こす原告七名のうちのひとり釜井健介の父であった。このことを私が知ったのはずっと後のこと。また、私の二歳上の兄が築上西高校で担任をしていただいたのが恒遠俊輔先生であった。恒遠先生も原告の一人である。私の身近なことであるはずなのにこの問題について真剣に考えたことはなかったような気がする。裁判の成り行きや豊前の海がどのように埋め立てられ海岸線が変わっていくのかにほとんど関心を持っていなかった。ただ、私の伯父が歌を詠んでいて、松下の歌はとてもいいと言っていたことだけはおぼろげに覚えている。[注①]

○私は一九七四（昭和49）年に上京し小さな大学に入った。豊前から遠く離れ東京での生活の中に自分を埋め込んでいく中で、私は故郷のことも、もちろん豊前海のことも、松下のこともほとんど意識したことはなかっただろう。

ある時何人かの友人たちと話をしているときに、有賀幸治がこう言った。「この雑誌に載っているのは君の田舎のことじゃないのかい。松下竜一って知ってるかい。」彼は一冊の雑誌を持っていて私に見せた。それは『終末から』（筑摩書房）だった。松下の「立て、日本のランソのヘイよ！」[注②]が載っていた。

そうだ、まさに私の故郷のことだ。私が東京に来てほとんど思い出すこともないまま、豊前海は埋め立てられることになり、発電所が建ち、私たちの暮らしが「便利に、文化的に、よりよくなる」のだろう。そのために私の知らぬ間に干潟は埋め立てられるのである。

思い出すことも稀な田舎のことを、今、友人から言われて、その時どう答えたのか私は全く覚えていない。有賀は長野県の松本深志高校の出身であったが、豊前に縁も何もない友人からの指摘は私の胸にどう響いたのか響かなかったのか、私は何も覚えていないのだ。

先日、新木安利の『松下竜一の青春』(海鳥社　二〇〇五年)を読んでいたら同じような話が出てきてびっくりした。新木が司書講習で岩手県花巻市に滞在していた時、同じ講習を受けていた人から『終末から』に載っている松下の文章を見せられ「これはあんたところの話じゃないか」と言われたというのである。

私と新木は同じ椎田町(現築上町)の、私は高塚、新木は宇留津というところ、すぐ近く、お隣に住んでいたのだ。(もちろんお互いのことは知らなかったが)周防灘の美しいクロマツ林の海岸線が見える、同じ所に住んでいて全くこの町とは無関係の人から「あんたところの話じゃないか」と言われたのである。

しかしここからが新木と私の違うところだ。新木はその後松下を訪ね、松下と共に行動していく。松下の思想と行動を自分のものにしていこうとして、その死の時まで松下のそばに居続けた人である。松下の評伝であるこの本は新木でなくては書けない愛情の籠もった優れた本である。特にその年譜は詳細でこれから松下に初めて出会う人にとっての必読の書となっている。

私は新木とは違った。私は有賀から指摘されはしたが、そのことによって、私が何かをした、ということはない。私は何もしなかった。ただ好きな本を読み、宮沢賢治を訪ねて東北を旅し、東京の街を歩き、松本深志、福島、松江北高校出身の友人たちと東京の四年間を過ごしていくのだ。

　その後、『終末から』を全号買いそろえ松下の文章も読んだ。しかしある時私は仕送りの金を使い果たし、友人にも連絡が付かず、今日の食事にも事欠き、渋谷宮益坂、駅から登って左側の古書店にダンボール一杯の他の雑本と一緒に売り払った。今思ってもあまりに安い値段だった。そのお金で当時の東急本店近くの定食屋で食事をしてトップでコーヒーを飲み旭屋書店で文庫本を買った。

○私は高校の教師となって福岡に戻ってきた。赴任地は飯塚、春日、粕屋、古賀だったので椎田の実家に住むことはなかった。松下のことや火力発電所反対裁判のことも取り立てて考えることはなかったと思う。ただ私は宮沢賢治の童話作品を勉強していたので松下の書く児童文学も熱心に読んでいた。

○私の古い手帳に松下の講演会のチケットの半券が貼られていた。一九八三（昭和58）年十二月十日（土）西日本新聞会館で。題は「少数者の意味」。主催はアムネスティ福岡グループ。私は何度か松下の講演を聴いたが、病気で急遽別の講師に変更になったこともあった。

○高校の国語教科書に松下の「鉛筆人形」[注③]が採られていたことがある。私は一度だけ授業した。生徒たちとこの小説を読んで生徒たちの感想を含め、私は松下に手紙を書いた。松下はすぐに、わざわざ生徒たちのために便箋二枚の返事をくれた。私はそのコピーを教室の後ろに貼り、「作者が君たちのために書いてくれた」と紹介した。ありがたかった。真面目な人だな、と恐縮してしまった。

○一九八五（昭和60）年十月二十六日（土）に、松下をお招きして講演会を開いた。福岡県高教組福岡南支部主催、場所は筑紫中央高校同窓会館、演題は「私の学び方」。講演の前に控え室にお伺いして挨拶した。短いながらもあれこれお話ししたはずだがその内容についてはよく覚えていない。ただ私は「童話は書かないのですか」と聞いた。その時とても曖昧な笑いが返ってきたことは記憶にある。

○話は随分飛ぶ。一九九四（平成6）年二月二十四日、福岡中央市民センターで「私が書くまで」という講演を聴いた。この内容は「つくし野」一八号（福岡県高校国語部会福岡地区、一九九五年三月発行）に採録している。

○一九九八（平成10）年十月二十三日、中津の図書館で行われた「全集刊行記念」の「松下竜一その仕事展」の会場でお会いした。その時も私は同じ質問をした。私は河出書房新社の児童文学シリーズ「ものがたりうむ」注④の一冊に確か松下の名前があったことを思い出してそのことを聞いてみた。その返事もやはり曖昧なものだった。松下は児童文学の範疇に入る作品は単行本で八冊刊行しているが、その最後の『どろんこサブウ』は一九九〇年である。

松下に会ったその前日まで私は高校の生徒たちとニュージーランドの修学旅行に行っていた。帰着の翌日車を走らせて福岡から中津までやって来た。その話をすると「今の高校生はニュージーランドに行くのですか」と聞いた。私は「中国やアメリカに行く学校もありますよ」と答えた。あきれたような顔をしていた。その様子だけははっきり覚えている。「図録」にサインをしてもらい一緒に写真を撮った。もう少しいろいろな話をしたはずなのによく覚えていないのだ。

○福岡市大名の入江書店という古本屋で私は松下の本を買うことがあった。あればみんな買った。他の古書店でも松下の本が出ていると全て買った。そのせいで『5000匹のホタル』は多いときには十冊以上本棚に並んでいた。いろんな人に配った。

ある時いつもの入江書店で『人魚通信』『絵本切る日々』の二冊がビニールに包まれて安く出ているのを見つけた。正確な値段は忘れた。この二冊は松下が豆腐屋を廃業しペン一本で立つには立ったが一体何を書いてよいのかそれが見つけられず、自分のつましい生活を描いた短編集である。既に絶版となっており私もなかなか実物を見ることはできなかった。家に帰って開いてみると一枚の手書きの便箋が入っていた。日付、宛名はない。「十月下旬より、西日本新聞に、ルポ十五回連載」と書いている。一九七一年十一月七日から連載された記事を指すと思われるのでこの年の七月に出版した『人魚通信』に挟んで誰かに贈ったものだろう。「来春五月頃、又、次を自費出版します。」とも書かれている。一九七二年五月に自費出版した本はないので十二月に出した『絵本切る日々』を指しているのだろう。この松下特有の、個性のある、そして読みづらい文字の「又」という漢字だけが異様に大きい。他の文字の三倍くらいある。とにかく書き続けるのだ、という強い意思の表れなのか。一体どなたに宛てたものか分からないが往往として古本にはこのようなものが挟まっている。

○私はもう一度松下竜一の本を読むことから始めようと思う。私にはそれしかできないだろう。惜しむらくは松下と児童小説について話す機会が永久に失われたことである。私に勇気と行動力がなかったからである。

注①中野雨情（本名・武雄）一九〇三（明治36）年生まれ。若くしてカナダに移民として渡る。歌人。「潮音」の四賀光子に師事。歌集に『宣誓』（柏葉書院　一九七〇年）など。

注②『終末から』に「立て日本のランソのヘイよ！」を連載（一九七四年6号から9号）した。雑誌が廃刊したため、後に稿を改め書き下ろし、『五分の虫、一寸の魂』として刊行。

注③「鉛筆人形」は『人魚通信』に「早春」という題で収められていたものを改稿して『潮風の町』に収めた。

注④「ものがたりうむ」は河出書房新社創業一二〇周年記念として企画されたシリーズ。第一期10巻、第二期5巻、第三期5巻と計画されていた。そのうち第三期（一九九八年刊行予定）の一冊として松下は書き下ろしの創作を予定していた。題名も「どんぶらこ」と予告されていたが、刊行には至っていない。作品の内容も伝わっていない。また、松下の作品『いつか虹をあおぎたい』の中にも「出版社からたのまれて、児童むけに、ある少年野球のチームをテーマにした本を書きかけ」ていたという記述がある。少年野球の話から川崎の公害で喘息に苦しむ少年の話に変更して松下は刊行にこぎつけた。松下が構想し、しかし日の目を見なかったいくつかの作品があったのだろう。残念に思うのは私一人だけではあるまい。

私が五十歳の頃である。今から十数年前の文章だ。（右の注はこの「あとがき」を書いている時に付けたもの）

私の松下の思い出はせいぜいこれくらいである。とにかく松下について何か書きたいという気持ちが、随分時間が経ってしまったが、ようやっとこのような形でその希みを達することができて幸せに思っている。まだまだ中途半端なものだがノンフィクション作家として著名な松下のもう一つの世界、この瑞々しい童話、未来への指向を込めた祈りのような児童小説などの全体像を不十分ながらここに提示できたのではないかと感じている。ここから新鮮な松下児童文学の世界が大きく拓かれていけば幸いである。

本書をまとめるに当たり、多くの方々のお世話になった。

松下と豊前火力発電所反対運動に邁進し裁判の原告として共に立ち上がった梶原得三郎氏、恒遠俊輔氏のお二人には何度もお訪ねして松下のひととなり、松下の文学について多くを語っていただいた。思いがけない微細なあれこれを教えていただいた。埋め立て阻止の激しい運動と裁判での孤軍奮闘の中で、常に共に苦しみ、悩み、その中でのつかの間の楽しみも共有したというこれらの方々のお話がどれほど私の胸を打ったか。

梶原氏はまた松下の児童文学の主人公としても登場する。『小さなさかな屋奮戦記』は松下の彼に対する絶対的な信頼と友情の結晶である。

恒遠氏は前に述べたように私の兄の担任の先生であった。後に求菩提資料館に移られてからは修験道の研究に邁進されておられる。私の家には兄が恒遠先生からいただいた達筆なサインがある著書が本棚に収まっていた。今回松下の児童文学に関する本をまとめたいという私の勝手な意を汲んでくださり、先生のお宅に何度もおじゃましてお話を聞く機会を与えてくださった。

新木氏はこの文章のはじめに述べた通りで同じ町内に住んでいた方で松下の年譜、目録作成などを積極的に、徹底的に完成させようとしている。私の執筆に際し、松下に関する最も基本的な事柄についても多くのご教示をいただいた。とにかく松下のことなら新木さんに聞いてくださいという声を何度も聞いた。新木氏は宮沢賢治の研究についても私の先達である。私はのそのそと新木氏のあとを追いかけているだけのような気がする。

今回梶原氏と新木氏のご尽力で『草の根通信』全三八〇号を手に入れることができた。この『草の根通信』全号は豊前市の市江康生氏が所蔵なさっていたもので見ず知らずの私にこんな貴重な資料を提供していただいた。感謝いたします。『草の根通信』は梶原氏のいみじくもおっしゃるように、これは松下竜一のもう一つの非常に重要な作品であるということがわかる。まさに裁判の経過報告であって今一体何が論じられ、何を主張しているのかが手に取るように理解できる。さらに裁判のことだけにとどまらず常に弱者の立場でこの世の様々な出来事を注視している。私は松下の「ずいひつ」や最後のページの「録音番」を楽しみに読んでいったが、そこには松下の児童文学作品の誕生の過程やそれに対する松下の本音などが覗える貴重な種本といってもよい。

図書館にもお世話になった。大分の中津、竹田など。山口の県立図書館、周南など。そして福岡の県立、市立図書館、豊前、上毛、築上図書館など。国立国会図書館、国際こども図書館など。貴重な資料の閲覧やコピー、様々なアドバイス、本当にありがとうございました。

私は宮沢賢治の足跡を訪ねて日本全国を旅したが、今回の松下作品を巡る旅も楽しく貴重な体験だった。

千葉県習志野市の谷津干潟には何度も出かけた。こんな狭い長方形の干潟、周りを住宅地に囲まれて、それでも二本の水路によって東京湾とつながっているため、しっかりと潮の干満がある。都会に残る奇蹟のような空間だ。私はこの干潟をゆっくり一周して鳥たちの姿に心温まる気がした。観察センターの方にはたくさんのことを教えていただいた。

神奈川県川崎駅を降りると空は真っ青で雲一つ無い素晴らしい天気だった。しかしここ川崎では、あの大気汚染の公害で多くの人々が喘息で苦しんだのだ。私は図書館で当時の公害の記録などを閲覧した。そして松下の作品中の宏くんが両親にも内緒で喘息に苦しむ弟清くんのためにお参りに行った川崎大師も訪ねてみた。厄よけのお寺で、喘息患者の人たちも多くお詣りに行き、参道では咳止めの飴が売られている、と松下は書く。私も咳止め飴、長寿飴、とんとこ飴などを買い求めた。境内は広く美しく清められている。

大分県竹田市の図書館では、私が見たい資料が無く、係の方が小学校にあるかもしれない、ということで、わざわざ学校に連絡をしてくださり、私はすぐに学校まで車を走らせた。会議が予定されているという忙しい中、教頭先生が丁寧にホタル送り・ホタル迎えの行事のことを詳しく話してくださり、貴重な資料も突然やって来た者に「どうぞ」ということで拝借までさせていただいた。本当にありがたいことだ。あちらこちら出かけていく中でたくさんの方々のお世話になった。それにしても図書館や学校関係者のみなさんのなんと親切なことか。旅をする楽しみはここにもある。

そしてこの小著に掲載した松下の写真数葉について、これも又、申し訳ないことに梶原氏に仲介をお願いし、松下の妻洋子さん、ご長男の健一さんに写真使用の許可をいただいた。初めてお会いした洋子さんは凛として發溂で、実にお元気でした。ありがとうございました。

このたび出版をお願いした地元福岡の出版社のぶ工房に感謝いたします。のぶ工房とは前著宮沢賢治の本でもお世話になった。お手数おかけいたしました。

退職後二冊の本を出したい、と希望し、その二冊目をここに出版することができて本当に嬉しく思います。

それでも、これからまだまだやりたいことも残っている。

二〇一九年十二月　　　中野隆之

・文中　敬称を略しております。失礼をおわびいたします

資料

1　松下竜一略年譜

・一九三七年二月十五日　中津市塩町に生まれる。
　〃　十月ごろ急性肺炎で危篤となり、右目を失明。
・一九五六年三月　結核のため一年休学の後、大分県立中津北高を卒業。
　〃　五月八日　母光枝死去。四十五歳。進学を断念し、家業の豆腐屋をつぐ。
・一九六二年十一月　短歌を作り始め、朝日歌壇に投稿。
・一九六六年十一月三日　三原洋子（十八歳）と結婚。
・一九六八年十二月一日『豆腐屋の四季』を自費出版。六九年四月、講談社から刊行。七月よりテレビドラマ化される。主演緒形拳。
・一九七〇年七月九日　豆腐屋を廃業し、著述業へと転身。三十三歳。
・一九七二年七月三十日　中津の自然を守る会結成集会で、梶原得三郎さんと出会う。
・一九七三年四月五日　草の根通信創刊。第四号から。副題は「豊前火力絶対阻止」。
　〃　八月二十一日　豊前火力建設差止裁判（環境権裁判）を同志六名とともに提訴。
・一九七四年六月二十六日　明神海岸埋立て着工阻止行動。七月四日、梶原さん等三人逮捕される。

・一九七七年十月　病気は結核ではなく、多発性肺嚢胞症と確定。
・一九七九年八月三十日　豊前人民法廷を開く。三十一日、福岡地裁小倉支部は門前払い判決。
「アハハハ……敗けた敗けた」。福岡高裁に控訴。
・一九八二年二月五日　草の根通信は一一一号より草の根の会発行。副題は「環境権確立に向けて」。
〃　六月十八日『ルイズ』により第四回講談社ノンフィクション賞を受賞。
・一九八五年十二月二十日　最高裁の却下により、環境権裁判終結。
・一九八六年三月～五月　なかつ博に非核平和館を展示。
・一九八八年一月～二月　伊方原発の出力調整実験に反対して高松行動に参加。
・一九八八年一月二十九日　日本赤軍がらみの容疑で警視庁より家宅捜索を受ける。（九六年十月、
東京地裁は東京都に、十万円の賠償を命じる）
・一九九一年十一月十日　日出生台日米合同軍事演習反対一万人集会に参加。
・一九九三年七月十三日　父健吾死去。八十七歳。
・一九九八年十月『松下竜一その仕事』全三十巻、河出書房新社から刊行開始。（～二〇〇二年
二月）市立図書館で、「その仕事展」開催。
・二〇〇一年一月～二月　第三回米海兵隊実弾砲撃演習にも抗議し、日出生台に通う。
・二〇〇二年十一月三日　草の根通信三六〇号記念パーティーを開く。
・二〇〇三年六月二日　築城基地前座り込み第一六九回に参加。

・二〇〇三年六月八日　福岡市で講演の後、小脳出血のため倒れる。
・二〇〇四年六月十三日　弟紀代一（松下印刷）死去。六十三歳。
・二〇〇四年六月十七日　中津市の村上記念病院で、多発性肺嚢胞症に起因する出血性ショックにより死去。六十七歳。草の根通信は七月三八〇号で終刊。

※この略年譜は「松下竜一を偲ぶ集い」（二〇〇四年八月一日　中津市）において参加者に配布された冊子（草の根の会編集・発行）に掲載されたもので、作成は新木安利氏。新木氏の許可を得て転載した。講談社文芸文庫の年譜等を参照して一部修正した。「偲ぶ集い」の冊子を含め「竜一忌」の資料レジメも新木氏から提供を受けた。ありがとうございました。

2　児童文学著作一覧

○小さな童話　全21編。
『歓びの四季』・『人魚通信』・『絵本切る日々』の中に所収。
○児童小説・児童向けノンフィクション（単行本）全8作。
『5000匹のホタル』理論社　一九七三年十二月

『ケンとカンともうひとり』筑摩書房　一九七九年四月
『まけるな六平』講談社　一九七九年七月
『あしたの海』理論社　一九七九年十二月
『海を守るたたかい』筑摩書房　一九八一年三月
『いつか虹をあおぎたい』フレーベル館　一九八三年三月
『小さなさかな屋奮戦記』筑摩書房　一九八九年十月
『どろんこサブウ』講談社　一九九〇年五月

〇土曜童話　全25話。
「西日本新聞」一九八五年十月五日～一九八七年十二月五日までの、ほぼ月に一回、土曜日に連載された。

※松下竜一の児童文学作品以外の目録については以下を参照のこと。また児童文学作品の詳細は第一章、第二章を参照のこと。
・「著作自解」(『図録松下竜一その仕事』その仕事展実行委員会　一九九八年)
・「著作目録」(講談社文芸文庫『豆腐屋の四季』『ルイズ――父に貰いし名は』梶原得三郎・新木安利編)

3　参考文献

・『松下竜一その仕事』（全三〇巻）一九九八（平成10）年十月～二〇〇二（平成14）年二月　河出書房新社
・『松下竜一未刊行著作集』（全五巻）二〇〇八（平成20）年六月～二〇〇九（平成21）年六月　海鳥社
・『草の根通信』（全三八〇号）一九七二年九月十五日～二〇〇四年七月五日
・新木安利『松下竜一の青春』海鳥社　二〇〇五年
・新木安利『田中正造と松下竜一』海鳥社　二〇一七年
・下嶋哲朗『いま、松下竜一を読む』岩波書店　二〇一五年
・『図録松下竜一その仕事』松下竜一その仕事展実行委員会　一九九八年
・『勁き草の根　松下竜一追悼文集』草の根の会　二〇〇五年

○ここで蛇足ながら『松下竜一その仕事』収録の児童文学作品六巻の配列について一言述べておきたい。この全集は「編年体の編集方針」とその案内チラシには書かれており、それぞれの

巻の巻末の「書誌」に発行年を明記している。当然刊行の古い順に編集されているのだと思うのだが、実は松下の単行本の初版第一刷の年月と違っているものがある。(左表の※)
とりあえず単行本初版第一刷と児童文学の25巻~30巻までの書誌の発行年月を挙げておくと次のようになっている。26巻と27巻は逆なのではないか。

	単行本の発行年月	全集の書誌	
25巻『5000匹のホタル』	一九七三年十二月	一九七四年二月	※
26巻『まけるな六平』	一九七九年七月二十日	一九七九年四月	※
27巻『ケンとカンともうひとり』	一九七九年四月二十五日	一九七九年四月	
28巻『あしたの海』	一九七九年十二月	一九七九年四月	※
29巻『小さなさかな屋奮戦記』	一九八九年十月二十五日	一九八九年十月	
30巻『どろんこサブウ』	一九九〇年五月二十日	一九九〇年四月	※

や　行

ら　行

わ　行

索　引

＊松下竜一の著作を中心に、主要なものに限った。
＊単行本については『』、他の著作については「」で表した。
＊人名についても、主要なものに限った。

中野隆之《なかのたかゆき》
・一九五五（昭和三十）年、福岡県生まれ。國學院大学文学部文学科に学ぶ。専攻は民俗学、近代文学。
一九七八（昭和五十三）年より福岡県の県立高校の国語科教諭として三十七年間教鞭を執る。その間、
宮沢賢治の作品、特に童話作品について研究を進める。また、東北岩手県の風土を愛し、今までに数
十回にわたって岩手を訪ね、賢治作品に流れる自然の美しさを身をもって体験してきた。
・著書として『宮澤賢治童話作品論集』（葦書房 一九九六年）、『豊島与志雄童話の世界』（海鳥社 二〇〇三
年）、『宮澤賢治童話論集』（のぶ工房 二〇一六年）などがある。
・宮沢賢治学会会員。

松下《まつした》竜一《りゅういち》の児童文学《じどうぶんがく》

ISBN978—4—901346—66—5

二〇二〇（令和二）年四月二十日 第一刷発行
著者 中野隆之
発行者 遠藤順子
発行所 図書出版のぶ工房
〒八一〇—〇〇三三 福岡市中央区小笹一丁目十五番十号三〇一
電話（〇九二）五三一—六三五三 ファクシミリ（〇九二）五二四—一六六六
郵便振替 〇一七一〇—七—四三〇二八
印刷・製本 九州コンピューター印刷
定価はカバーに表示してあります。乱丁・落丁本は小社あてに
お送りください。送料小社負担にてお取り替えいたします。

◎著者の本

＊表示は本体価格（税別）です。定価は、本体価格＋税となります。

宮沢賢治童話論集

賢治の足跡をたどり、賢治を読んで感じたり考えたりすることには、いつも新しい発見がついてまわる。宮沢賢治の宇宙へ、ようこそ。

◆一、気のいい火山弾◆二、十月の末◆三、二人の役人◆四、茨海小学校◆五、おきなぐさ◆六、林の底◆七、葡萄の物語（1黒ぶだう・2葡萄水）◆八、みぢかい木ペン◆九、サガレンと八月◆十、さいかち淵◆十一、紫紺染について◆十二、〔税務署長の冒険〕◆十三、なめとこ山の熊◆十四、ポラーノの広場◆十五、風〔の〕又三郎〕◆十六、オツベルと象◆十七、ブスコーブドリの伝記

A４判／上製本／四〇六頁

本体二五〇〇円

ISBN 978—4—901346—66—5

＊小社出版物が書店にない場合には**「地方・小出版流通センター扱い」**と御指定の上、ご注文ください。また、bk1・アマゾン等ネット通販でのお取り寄せもできます。

＊書店以外は、畦町宿「ぎゃらりぃ畦」で、お求め頂けます。